# DER GUTE ORT

Jürgen Rennert
Dietmar Riemann

# IN WEISSENSEE

Bilder vom Jüdischen Friedhof
und eine Sammlung jüdischer Stimmen
zu Vergehen und Werden,
Bleiben und Sein

Evangelische Verlagsanstalt
Berlin

ISBN 3-374-00126-2

# KADDISCH

Erhoben und geheiligt
werde Sein großer Name
in der Welt,
die Er nach Seinem Willen erschaffen.
Er lasse Sein Reich kommen
in eurem Leben und in euren Tagen
und in dem Leben des ganzen Hauses Israel,
bald und in naher Zeit.
Darauf sprecht Amen.

Sein großer Name sei gepriesen
in Ewigkeit und Ewigkeit der Ewigkeiten!

Gepriesen und gelobt,
verherrlicht und erhoben,
erhöht und gefeiert,
hocherhoben und bejubelt
werde der Name des Heiligen, gelobt sei Er,
obwohl er erhoben ist
über allen Preis und Gesang,
über Lob und Lied,
Huldigung und Trost,
die in der Welt gesprochen werden.
Darauf sprecht Amen.

Des Friedens Fülle und Leben
möge vom Himmel herab
uns und ganz Israel zuteil werden.
Darauf sprecht Amen.
Der Frieden stiftet in Seinen Höhen,
gebe auch uns Frieden
und ganz Israel.
Darauf sprecht Amen.

# DER 90. PSALM

In der Übersetzung
von Moses Mendelssohn

Herr, unser Zufluchtsort warst du,
    Von Menschenalter zu Menschenalter.
Ehe denn die Berge gezeugt;
    Geschaffen wurden Welt und Erde;
Und von Ewigkeit in Ewigkeit,
    Bist du allmächtig!
Du führst das Menschengeschlecht bis zur Zerknirschung:
    Dann sprichst du: Söhne Adams! kehret wieder!
(Denn tausend Jahre sind vor dir
    Einem Tage, der gestern verging,
    Einer Nachtwache gleich.)
Du strömest sie hin: in Schlummer entstehn sie.
    Des Morgens, wie wandelndes Gras,
Früh blüht es und wandelt;
    Am Abend abgehauen und verdorret.
So vergehen wir in deinem Zorne;
    So schleudert uns dein Grimm dahin.
Du stellest unsre Missetat vor dich,
    Unsre Heimlichkeit vor deines Angesichtes Licht.
Nun schwinden unsre Tage alle, durch deinen Zorn;
    Wir bringen unsre Jahre zu, wie ein Geschwätz.
Unsre Lebenszeit währt siebenzig Jahr;
    Achtzig ist ihr fernstes Ziel,
Und ihr Stolz ist Müh und Kummer:
    Schnell abgeschnitten; so fliegen wir hin!

Doch wer erkennet deines Grimmes Allgewalt,
    Daß er ihn fürchte, so furchtbar du bist?
Ach, lehr uns unsre Tage zählen,
    Damit wir weisen Herzens seien!
Wende dich, Ewiger! ach wie lange!
    Sei deinen Knechten wieder gnädig!
Erfüll uns früh mit deiner Huld!
    So rühmen wir frohlockend unser Lebenlang.
Erfreu uns nun so lange Zeit, als du uns plagtest;
    So viele Jahre wir nur Unglück sahen!
Zeige dein erhabnes Werk an deinen Knechten;
    An ihren Kindern deine Majestät.


Chor

Unsres Gottes Freundlichkeit
Werde uns beschieden;
So gelinget unsrer Hände Werk.
Gelinget nur durch ihn.

Paul Celan
PSALM


Niemand knetet uns wieder aus Erde und Lehm,
niemand bespricht unsern Staub.
Niemand.

Gelobt seist du, Niemand.
Dir zulieb wollen
wir blühn.
Dir
entgegen.

Ein Nichts
waren wir, sind wir, werden
wir bleiben, blühend:
die Nichts-, die
Niemandsrose.

Mit
dem Griffel seelenhell,
dem Staubfaden himmelswüst,
der Krone rot
vom Purpurwort, das wir sangen
über, o über
dem Dorn.

## AUS DEN „PIRKEJ AWOT"

Als Hillel einst einen Schädel auf dem Wasser schwimmen sah, sprach er: Weil du ertränkt hast, haben sie dich ertränkt, und auch die, welche dich ertränkt haben, werden ertränkt werden.

Demütig sei der Mensch, denn was des Sterblichen harrt, ist der Wurm.

Bedenke drei Dinge und du wirst nie in eine Sünde verfallen. Bedenke, woher du kommst, wohin du gehst und vor wem dereinst du Rechenschaft abzulegen haben wirst. Du kommst von einem verfaulten Tropfen, gehst zu Staub und Gewürm und wirst dereinst vor dem König der Könige Rede stehen müssen.

Der Geborenen harrt der Tod und des Todes die Auferstehung, und der Auferstehung das Gericht vor dem, der Schöpfer und Bildner, Kläger, Zeuge und Richter ist, vor dem es weder Unrecht noch Vergessen, weder Begünstigung noch Bestechung gibt. Und laß dich nicht vom bösen Trieb beschwichtigen, daß das Grab eine Zufluchtstätte für dich sei. Gegen deinen Willen wurdest du erschaffen, gegen deinen Willen lebst du, gegen deinen Willen wirst du sterben, und gegen deinen Willen wirst du Rechenschaft ablegen müssen vor dem König der Könige, dem Heiligen, gelobt sei er.

Traue dir selbst nicht bis zum Tage deines Todes.

Freue dich nicht über die Trübsal deines Feindes, dein Herz frohlocke nicht, wenn er gestrauchelt ist. Der Ewige könnte es mißfällig sehen und seinen Zorn auf dich wenden.

Jede Liebe, die auf einer Sache beruht, verschwindet mit der Sache. Nur die Liebe, die auf nichts beruht, ist von Dauer. Bestandlos war die sinnliche Liebe zwischen Amnon und Tamar, unvergänglich hingegen die Freundschaft zwischen Jonatan und David.

Versuche nicht, deinen Nächsten zu besänftigen, wenn er vom Zorn überwältigt ist. Tröste ihn nicht, solange der Tote vor ihm liegt. Suche ihn nicht von seinem Ziele abzubringen in dem Augenblick, in dem er es gefaßt hat, und besuche ihn nicht in der Stunde seiner Erniedrigung.

Wahrheit, Gerechtigkeit und Friede sind die Pfeiler der menschlichen Gesellschaft.

Sondere dich nicht von der Gesamtheit ab.

An wem die Menschen Wohlgefallen haben, an dem hat auch Gott Wohlgefallen.

Verachte niemand und unterschätze nichts. Es gibt keinen Menschen, der nicht seine Stunde finden, und kein Ding, das nicht irgendwie zur Geltung kommen könnte.

Ein Rabbi fragte einst seine Schüler: Was ist's, worauf der Mensch im Leben den größten Wert zu legen habe? Der eine sagte: ein wohlwollendes Auge, der andere: ein guter Freund, der dritte: ein guter Nachbar, der vierte: das Schauen der kommenden Dinge, der fünfte: ein gutes Herz. Der Rabbi schloß sich der letzten Ansicht an, weil in ihr alle andere enthalten ist.

Wer ist ein Held? Wer sich selbst beherrscht. Wer ist reich? Der mit seinem Lose zufrieden ist. Wer wird verehrt? Der die Menschen ehrt.

Die Achtung vor deinem Genossen gleiche der Ehrfurcht vor deinem Lehrer, und die Ehrfurcht vor deinem Lehrer gleiche der Ehrfurcht vor Gott.

Lehre, um zu lernen, lerne, um danach zu leben.

Eine Stunde der Buße und guter Werke hienieden ist mehr wert als das ganze Jenseits, und die Seligkeit einer Stunde im Jenseits ist mehr wert als alle Freuden dieses Lebens.

Verdamme niemand, solange du nicht in seiner Lage warst.

Alles ist vorhergesehen, dennoch ist die freie Wahl gegeben. Nach Gnade wird die Welt gerichtet, dennoch wird alles nach dem Übergewicht der guten Handlungen entschieden.

Alles wird auf Borg gegeben, und ein Netz ist über alles Lebende ausgebreitet. Der Laden ist offen, und der Krämer borgt. Das Buch ist aufgeschlagen, und die Hand schreibt. Wer geliehen haben will, mag kommen und leihen. Die Schuldforderer gehen täglich umher und ziehen die Schulden ein, gleichviel, ob der Schuldner willig ist oder nicht, denn sie haben eine feste Stütze. Der Urteilsspruch ist ohne Fehl.

Rose Ausländer

TEILHABEN

Mit neuen Gedanken
alt werden

Jung bleiben
an uralten Gedanken

Teilhaben
am unsterblichen Leben
unsterblichen Sterben

Moses Mendelssohn

## UNSTERBLICHKEIT DER SEELE

Wo unsere Seele keinen Grund der Gewißheit findet, da traut sie sich den beruhigenden Meinungen, wie Fahrzeugen auf dem bodenlosen Meere, an, die sie bei heiterem Himmel sicher durch die Wellen dieses Lebens hindurchführen. Ich fühle es, daß ich der Lehre von der Unsterblichkeit und von der Vergeltung nach unserem Tode nicht widersprechen kann, ohne unendliche Schwierig-keiten sich erheben zu sehen, ohne alles, was ich je für wahr und gut gehalten, seiner Zuverlässigkeit beraubt zu sehen. Ist unsere Seele sterblich: so ist die Ver-nunft ein Traum, den uns Jupiter geschickt hat, uns Elende zu hintergehen; so fehlt der Tugend aller Glanz, der sie unsern Augen göttlich macht; so ist das Schöne und Erhabene, das sittliche sowohl als das physische, kein Abdruck gött-licher Vollkommenheiten (denn nichts Vergängliches kann den schwächsten Strahl göttlicher Vollkommenheit fassen); so sind wir, wie das Vieh, hierher ge-setzt worden, Futter zu suchen und zu sterben; so wird es in wenigen Tagen gleichviel sein, ob ich eine Zierde oder Schande der Schöpfung gewesen, ob ich mich bemüht, die Anzahl der Glücklichen oder der Elenden zu vermehren; so hat der verworfenste Sterbliche sogar die Macht, sich der Herrschaft Gottes zu entziehen, und ein Dolch kann das Band lösen, welches den Menschen mit Gott verbindet. Ist unser Geist vergänglich, so haben die weisesten Gesetzgeber und Stifter der menschlichen Gesellschaften uns oder sich selbst betrogen; so hat das gesamte menschliche Geschlecht sich gleichsam verabredet, eine Unwahrheit zu hegen und die Betrüger zu verehren, die solche erdacht haben; so ist ein Staat freier, denkender Wesen nichts mehr als eine Herde vernunftlosen Viehes, und der Mensch − ich entsetze mich, ihn in dieser Niedrigkeit zu betrachten! Der Hoffnung zur Unsterblichkeit beraubt, ist dieses Wundergeschöpf das elendeste Tier auf Erden, das zu seinem Unglück über seinen Zustand nachdenken, den

Tod fürchten und verzweifeln muß. Nicht der allgütige Gott, der sich an der Glückseligkeit seiner Geschöpfe ergötzt, ein schadenfrohes Wesen müßte ihn mit Vorzügen begabt haben, die ihn nur bejammernswerter machen. Ich weiß nicht, welche beklemmende Angst sich meiner Seele bemeistert, wenn ich mich an die Stelle der Elenden setze, die eine Vernichtung befürchten. Die bittere Erinnerung des Todes muß alle ihre Freuden vergällen. Wenn sie der Freundschaft genießen, wenn sie die Wahrheit erkennen, wenn sie die Tugend ausüben, wenn sie den Schöpfer verehren, wenn sie über Schönheit und Vollkommenheit in Entzückung geraten wollen: so steigt der schreckliche Gedanke der Vernichtung wie ein Gespenst in ihrer Seele empor und verwandelt die gehoffte Freude in Verzweiflung. Ein Hauch, der ausbleibt, ein Pulsschlag, der stillesteht, beraubt sie aller dieser Herrlichkeiten; das Gott verehrende Wesen wird Staub, Moder und Verwesung. Ich danke den Göttern, daß sie mich von dieser Furcht befreit, die alle Wollüste meines Lebens mit Skorpionenstichen unterbrechen würde. Meine Begriffe von der Gottheit, von der Tugend, von der Würde des Menschen und von dem Verhältnis, in welchem er mit Gott steht, lassen mir keinen Zweifel mehr über seine Bestimmung. Die Hoffnung eines zukünftigen Lebens löst alle diese Schwierigkeiten auf und bringt die Wahrheiten, von welchen wir auf so mancherlei Weise überzeugt sind, wieder in Harmonie. Sie rechtfertigt die Gottheit, setzt die Tugend in ihren Adel ein, gibt der Schönheit ihren Glanz, der Wollust ihren Reiz, versüßt das Elend und macht selbst die Plagen dieses Lebens in unsern Augen verehrenswert, indem wir alle Begebenheiten hienieden mit den unendlichen Reihen von Folgen vergleichen, die durch dieselben veranlaßt werden. Eine Lehre, die mit so vielen bekannten und ausgemachten Wahrheiten in Harmonie steht und durch welche wir so ungezwungen eine Menge von Schwierigkeiten gehoben sehen, findet uns sehr geneigt, sie anzunehmen, bedarf beinahe keines ferneren Beweises. Denn wenngleich von diesen Gründen, einzeln genommen, vielleicht keiner den höchsten Grad der Gewißheit mit sich führt, so überzeugen sie uns doch, zusammengenommen, mit einer so siegenden Gewalt, daß sie uns völlig beruhigen und alle unsere Zweifel aus dem Felde schlagen.

20

Joseph Herzfelder
## EIN DEUTSCHER JUDE (1883)

Er sprach: Warum ich nicht zerreiße
Zu meinem Volk das schwache Band?
Warum ich nicht die Gnadenspeise
Empfang' aus Eures Priesters Hand?
So fragt Ihr. – Soll ich, frei vom alten,
Die Seel entweihn mit neuem Lug?
Wie Ihr zu kleinem Holze spalten
Das Kreuz, daran man Christum schlug?

Ein Bürger sonnenhellrer Zeiten,
Die freilich noch die Wolke deckt,
Will ich durchs Leben rüstig schreiten,
Von Kreuz und Talmud ungeneckt.
Und wenn ich doch zu Juda stehe –
Nicht jenes Glaubens morscher Kitt,
Uns bindet tausendjähr'ges Wehe,
Das blutig ihm ins Leben schnitt.

Ihr lächelt. – Sei es drum! Ich schlage
Doch Eure Geistesschlachten mit,
Und wer das deutsche Banner trage,
Ihm folg' ich freudig Schritt um Schritt.
Dein Boden gab mir Raum zur Wiege,
Gib mir zum Grab ein Fleckchen Sand,
Wenn ich dem letzten Kampf erliege,
Geliebtes deutsches Vaterland!

Ernst Bloch

# EIN ERSTES MORGENROT . . .

Es gibt kein Leid, das dem jüdischen zu vergleichen wäre. Auch andere kleine Völker wurden zerstreut, von ihrem Boden weggeführt, doch dann gingen sie rasch unter. Die anderen Stämme, welche an den Nil zur Arbeit verschleppt worden waren, sind nicht einmal dem Namen nach überliefert. Die Juden haben sich nicht fressen lassen, wie bekannt, obwohl sie ständig zwischen den Zähnen ihrer Wirtsvölker waren. Dem Handel und der Schrift ergeben, retteten sie ihr angstvolles Dasein durch Totschlag ohne Zahl hindurch, bis nach langen Jahrhunderten die Luft außerhalb des Ghettos ein wenig ungefährlicher schien. Der Jude ward nur mehr geschlagen, verachtet, nicht mehr verbrannt. Das Gönnerische stieg weiter an, im Lauf der bürgerlichen Befreiung, der gelbe Fleck wurde vom Kaftan abgetrennt, auch dieser verschwand, um 1800 entstand im Westen der jüdische Mitbürger. Er trat sein neues Amt vertrauensvoll an, und da draußen ohnehin Handel und Wandel herrschten, auch die mehr ritterlichen oder staatsmäßigen Berufe weiter verschlossen blieben, war der Start in der Mehrzahl kaufmännisch. Man trat in die vorhandene kapitalistische Gesellschaft ein, nicht mehr, wie zur spanischen Blütezeit, in eine feudale und kirchlich gelehrte. Das macht Unterschiede, sie fallen nicht nur jenen Juden zur Last, die so smart ins allgemeine Geschäftsleben einstiegen, auch die Station ist wichtig, an der der lange Leidensweg endlich hält. Diese Station war aus dem gleichen Grund, aus dem sie die vorläufig befreiende war, die kapitalistische: freier Wettbewerb verlangt rechtliche Gleichheit seiner Partner. Unter diesen Partnern kam nicht immer das beste Jüdische zum Vorschein, sowenig wie das beste Deutsche oder Französische. Die Börse wirkt von allen Seiten nicht schön, und es waren die Spalten der liberalen Presse, aus denen der Atem der Zeit am heißesten entgegenschlug.

Jüdischer Geist kam in einen hinein, der alles zerschwätzte, der nur noch für den Markt erzeugte, und tat sich darin hervor. Nur wurde dergleichen am Anfang, als die Befreiung kam, noch nicht sichtbar. Der Fall der Mauern, die soviel Bedrückung und freilich auch soviel Ernst und fromme Strenge umgeben hatten, wirkte selber biblisch. Es war ein erstes Morgenrot, das der Anpassung; dahinter wurde lauter demokratisches Glück vermutet, neues Leben nach langer Lähmung. Aber nicht nur die Juden, sondern auch die Nichtjuden haben bekanntlich nicht ganz erfüllt, was in der Befreiung erhofft war. Gleichheit der Juden mit anderen, wenn sie je vorlag, war eine vorübergehende Ausnahme, sie wurde keine Regel. Zuletzt kam wieder, verstärkt wieder, was nur den Narren eines leer rollenden Fortschritts undenkbar schien: Ausrottung. Der liberale Bürger stand daneben, Gewehr bei Fuß, soweit er es nicht selber auf Juden im Anschlag hatte.

Heinrich Heine

## GEDANKEN UND EINFÄLLE

Daß ich Christ ward, ist die Schuld jener Sachsen, die bei Leipzig plötzlich umsattelten, oder Napoleons, der doch nicht nötig hatte, nach Rußland zu gehn, oder seines Lehrers, der ihm zu Brienne Unterricht in der Geographie gab und ihm nicht gesagt hat, daß es zu Moskau im Winter sehr kalt ist.

Gott wird mir die Torheiten verzeihen, die ich über ihn vorgebracht, wie ich meinen Gegnern die Torheiten verzeihe, die sie gegen mich geschrieben, obgleich sie geistig so tief unter mir standen, wie ich unter dir stehe, o mein Gott!

Die Geschichte der neueren Juden ist tragisch, und schrieb man über dieses Tragische, so wird man noch ausgelacht – das ist das Allertragischste.

Es ist charakteristisch für den Hamburger Judenkrawall (im September 1830), daß die Revolutionäre erst ihr Tagesgeschäft vollendeten, und eine Abendrevolution machten.

Ich war bei van Aken während des Tumults: Der Löwe war am ruhigsten, vornehm indigniert, die Affen freuten sich, die Schlangen wanden sich, die Hyäne war unruhig gierig, der Eisbär streckte sich bequem hin und wartete, das Chamäleon veränderte jeden Augenblick die Farbe, rot, blau, weiß, endlich sogar dreifarbig – die Tiere sahen menschlich vernünftig aus, im Gegensatz zu den Menschen, die tierisch wild rasten.

Ein Jude sagte zum andern: „Ich war zu schwach." Das Wort empfiehlt sich als Motto zu einer Geschichte des Judentums.

Eine Phryne, welche am Dammtor stand, sagte: „Wenn heute die Juden beleidigt werden, so geht's bald gegen den Senat, und endlich gegen uns." Kassandra der Drehbahn, wie bald gingen deine Worte in Erfüllung!

Seid ganz tolerant oder gar nicht, geht den guten Weg oder den bösen; um am Scheideweg zagend stehenzubleiben, dazu seid ihr zu schwach. – Dies vermochte kein Herkules, und er mußte sich für einen der Wege bald entscheiden.

Ich liebe sie (die Juden) persönlich.

Jede Religion gewährt auf ihre Art Trost im Unglück. Bei den Juden die Hoffnung: „Wir sind in der Gefangenschaft, Jehova zürnt uns, aber er schickt einen Retter." Bei den Mohammedanern Fatalismus: „Keiner entgeht seinem Schicksal, es steht oben geschrieben auf Steintafeln, tragen wir das Verhängte mit Ergebung, Allah il Allah!" Bei den Christen spiritualistische Verachtung des Angenehmen und der Freude, schmerzsüchtiges Verlangen nach dem Himmel, auf Erden Versuchung des Bösen, dort oben Belohnung.
    Was bietet der neue Glauben?

Unsere Moralbegriffe schweben keineswegs in der Luft: die Veredlung des Menschen, Recht und Unsterblichkeit haben Realität in der Natur. Was wir Heiliges denken, hat Realität, ist kein Hirngespinst.

**Margarete Eisner**
geb. Aron
Berlin 2. 8. 1866
Theresienstadt 30. 1. 1943

Hier ruht
mein innigstgeliebter Mann,
unser teurer Vater
und Großvater,
**Hugo Eisner,**
geb. 7. Februar 1857,
gest. 26. October 1924.
✡

Hier ruht
unsere liebe Mutter,
Großmutter und Schwester
**Estelle Eisner**
geb. Aron
geb. 7. November 1856
gest. 17. Juli 1931.
✡

Hier ruht in Gott
mein geliebter Gatte
**Siegmund Eisner,**
geb. am 22. October 1838,
gest. am 2. October 1903.
✡

Ludwig August Frankl
IN DER LAUBERHÜTTE (1853)


Und so ist die Hütte wieder
Leicht aus grünem Laub gezimmert,
Mond und Sternenleuchten schimmert
Aus der luft'gen Decke nieder.

Blumen, Goldschaumfrüchte hängen
Aus des Zeltes grünem Dache;
In der Väter heil'ger Sprache
Preis ich Ernte mit Gesängen.

Sei gegrüßt mit duft'gem Prangen
Palmenblatt und Laub der Weide,
Myrthen schlingen sich um Beide,
Um der Hadas gold'ne Wangen!

Land der Psalmen, die wir singen,
Fremd sind wir uns längst geworden,
Seit sie an des Stromes Borden
Harfen an die Weiden hingen.

Sei gegrüßt, ach nur im Traume!
Gold'ne Frucht und Pflanze mahnen
An das Erntefest der Ahnen, –
Ich steh hier im fernen Raume.

Meinem neuen Vaterlande
Fleh ich nieder Tau und Regen —
Gib des Geist's, des Friedens Segen,
Löse, Herr, die letzten Bande!

Ach es schmerzt, wenn noch so leise:
Der ich fromm den Segen spreche,
Für das Brot, das ich jetzt breche,
Zog ich nicht des Ackers Gleise!

Süßer wär' der Wein dem Munde,
Den ich mir gepflanzt mit Mühe,
In der Mittagsglut und Frühe,
Reben auf dem eignen Grunde!

Doch das Zelt ist aufgestellet,
Grünes Waldeslaub die Wände;
Segnend heb' ich Blick und Hände,
Zelt und Herz sind schön erhellet.

Gottverklärt und fluchbeladen
Bleiben ewig wir auf Erden,
Weidend die Gedankenherden,
Gottes wandernde Nomaden!

Theodor Herzl
## OHNE HASS UND FURCHT

Die Judenfrage besteht. Es wäre töricht, sie zu leugnen. Sie ist ein verschlepptes Stück Mittelalter, mit dem die Kulturvölker auch heute beim besten Willen noch nicht fertig werden konnten. Den großmütigen Willen zeigten sie ja, als sie uns emanzipierten. Die Judenfrage besteht überall, wo Juden in merklicher Anzahl leben. Wo sie nicht ist, da wird sie durch hinwandernde Juden eingeschleppt. Wir ziehen natürlich dahin, wo man uns nicht verfolgt; durch unser Erscheinen entsteht dann die Verfolgung. Das ist wahr, muß wahr bleiben, überall, selbst in hochentwickelten Ländern – Beweis Frankreich –, solange die Judenfrage nicht politisch gelöst ist. Die armen Juden tragen jetzt den Antisemitismus nach England, sie haben ihn schon nach Amerika gebracht.

Ich glaube den Antisemitismus, der eine vielfach komplizierte Bewegung ist, zu verstehen. Ich betrachte diese Bewegung als Jude, aber ohne Haß und Furcht. Ich glaube zu erkennen, was im Antisemitismus roher Scherz, gemeiner Brotneid, angeerbtes Vorurteil, religiöse Unduldsamkeit – aber auch, was darin vermeintliche Notwehr ist. Ich halte die Judenfrage weder für eine soziale noch für eine religiöse, wenn sie sich auch noch so und anders färbt. Sie ist eine nationale Frage, und um sie zu lösen, müssen wir sie vor allem zu einer politischen Weltfrage machen, die im Rate der Kulturvölker zu regeln sein wird. Wir sind ein Volk, *ein* Volk.

Wir haben überall ehrlich versucht, in der uns umgebenden Volksgemeinschaft unterzugehen und nur den Glauben unserer Väter zu bewahren. Man läßt es nicht zu. Vergebens sind wir treue und an manchen Orten sogar überschwengliche Patrioten, vergebens bringen wir dieselben Opfer an Gut und Blut wie unsere Mitbürger, vergebens bemühen wir uns, den Ruhm unserer Vaterländer in Künsten und Wissenschaften, ihren Reichtum durch Handel

und Verkehr zu erhöhen. In unseren Vaterländern, in denen wir ja auch schon seit Jahrhunderten wohnen, werden wir als Fremdlinge ausgeschrien – oft von solchen, deren Geschlechter noch nicht im Lande waren, als unsere Väter da schon seufzten. Wer der Fremde im Lande ist, das kann die Mehrheit entscheiden; es ist eine Machtfrage, wie alles im Völkerverkehr. Ich gebe nichts von unserem ersessenen guten Recht preis, wenn ich das als ohnehin mandatloser einzelner sage. Im jetzigen Zustande der Welt und wohl noch in unabsehbarer Zeit geht Macht vor Recht. Wir sind also vergebens überall brave Patrioten, wie es die Hugenotten waren, die man zu wandern zwang. Wenn man uns in Ruhe ließe . . .

Aber ich glaube, man wird uns nicht in Ruhe lassen.

Grete Weil

## DA GAB ES EINEN GROSSVATER

Versuche ich aber, das Nichtmehrsein zu begreifen, stoße ich mich wund an
dem Unvorstellbaren. Sterben ist simulierbar, Totsein nicht. Ich fürchte mich,
lehne mich auf. Aber es gibt auch Glücksmomente, in denen ich mich gebor-
gen fühle, dann bin ich zufrieden, brauche für das Nichts keinen Namen und
keine Hoffnung. Sinke in Halbschlaf, bin wieder daheim bei den Eltern, ein
Kind, geliebt und verhätschelt, trotzig, widerborstig, doch niemals abgewiesen.
Das beste, das schönste, das klügste, wie es in den meisten jüdischen Familien
nur beste, schönste und klügste Kinder gibt, der Wall, der seit urlanger Zeit um
sie gebaut wird, sie vor der bösen Außenwelt zu schützen. Aus dem Halbschlaf
schrecke ich auf, schweißüberdeckt. Liege auf einer Pritsche in Auschwitz, auf
der ich nie lag, und höre eine Stimme gleichgültig Nummern herunterleiern.
Der Herzschlag setzt aus.

Je weiter Auschwitz entfernt ist, desto näher kommt es, die Jahre dazwischen
sind weggewischt. Auschwitz ist Realität, alles andere Traum. [. . .]

Schon als Kind wurde mir beigebracht, an den Tod zu glauben. Da gab es
einen Großvater, einen sehr lieben alten Mann (aber alt waren alle großen
Leute), der war plötzlich fort. Er kommt nicht wieder, nie mehr, wurde ich
aufgeklärt. Irgendeinmal doch? Nein, nie ist nie. Wo ist er? Großmutter
weinend: Beim lieben Gott. Mutter: Im Himmel. Vater: Unter der Erde. Vater,
der nicht mit roten Augen herumlief, schien mir der Glaubwürdigste zu sein.
Seine Aussage erschreckte mich sehr. Ich grub im Garten ein Loch und legte
die Hand hinein. Die Erde war kalt und naß. Da fing ich zu zweifeln an. Es
konnte doch nicht sein, daß man Großvater so etwas angetan hatte. Nein, mein
Kind. Er liegt auf weichen Kissen in einem Sarg. Noch schlimmer. Verwandte
hatten uns drei lebende Hühner geschenkt. Die kamen in einer Kiste. Als wir

sie herauslassen wollten, waren sie erstickt. Großmutter und die Eltern hatten Großvater in eine Kiste gelegt, in der er keine Luft mehr bekam. Ich fürchtete mich und weinte. Sie belehrten mich: Ein Verstorbener braucht keine Luft. Er spürt nichts mehr. Woher wußten sie das? Und wenn sie nicht recht hatten?

Bei einem Gespräch der Erwachsenen schnappte ich auf, daß man Tote auch verbrennt. Feuer tut weh. Ich probierte es aus. Hielt einen Finger in die Flamme der Kerze. Schrie. So etwas Dummes wie dich muß man lange suchen, schimpften die Eltern. Ihr seid böse, sagte ich. Nicht wegen ihres Gezankes hatte ich sie böse genannt, sondern weil sie erlaubten, daß man Tote ins Feuer schiebt. Sie verstanden mich nicht, schauten sich erschrocken an und küßten meine Brandblase.

Als ich erwachsen war, redete ich wie die anderen, überzeugt, daß Gestorbene nichts spüren, daß sie nicht wiederkommen. Wie hielten alte Menschen es aus, in der Gewißheit des nahen Endes zu existieren? Warum brachten sie sich nicht um?

Jetzt bin ich selber alt, weiß, daß der Tod bald kommt, lehne mich nicht auf, fürchte ihn nicht, fürchte ihn sehr, habe Angst vor allem, was mir bevorsteht. Spüre das Schwächerwerden des Körpers, das Ermatten der Gefühle, vergesse vieles, das ich mir merken wollte, Namen verschwinden im Nichts, Gedanken werden jäh unterbrochen, lösen sich auf in heiter oder traurig machendem Verdämmern.

Rose Ausländer
NOCH BIST DU DA


Wirf deine Angst
in die Luft

Bald
ist deine Zeit um
bald
wächst der Himmel
unter dem Gras
fallen deine Träume
ins Nirgends

Noch
duftet die Nelke
singt die Drossel
noch darfst du lieben
Worte verschenken
noch bist du da

Sei was du bist
Gib was du hast

Else Lasker-Schüler

## DER TOD DER ELTERN

Eines Morgens lasen die Einwohner in den Blättern der Wupperstadt erschrocken: „Unser lieber Herr Schüler, der Till Eulenspiegel von Elberfeld, ist gestorben." Und sie sandten große Blumenkränze, wie vor Jahren, als meine von mir angebetete und von der ganzen Stadt verehrte und bewunderte Mama vom lieben Gott heimgerufen wurde. Einen tiefdunklen Flor trug der blaue Himmel um seinen Arm. Es war Juli . . . doch die Vögel sangen so traurig.

Ein weißer Stern singt ein Totenlied
In der Julinacht –
Wie Sterbegeläut – in der Julinacht.
Und auf dem Dach die Wolkenhand,
Die streifende, feuchte Schattenhand
Sucht nach – meiner Mutter.
Ich fühle mein nacktes Leben –
Es stößt sich ab vom Mutterland.
So nackt war nie mein Leben.
So in die Zeit gegeben.
Als ob ich abgeblüht hinter des Tages Ende
Zwischen weiten Nächten stände . . . alleine –

Schlage ich meiner Mutter Poesiealbum auf und betrachte der Worte südliche Buchstaben, Gedichte aus seltenen holden Knospen und seidigen Blättern geschrieben, weiß ich, *sie* war die Dichterin und ich nur die Sagerin ihrer reinen schwärmerischen Gedanken. Ich besuchte noch nicht die Schule, und der häusliche Unterricht bedeutete mir eine Spielerei; aber eine – Belohnung, saßen wir beide, meine allerbeste Freundin, meine junge schöne Mama und ich nebeneinander am Rosenholztisch und dichteten. Ach, sie bewunderte mich unausgesetzt; ich war so stolz, vertraute ihrem Urteil, und es gelang mir der schwierigste Vers, da ich meine Dichtung in ihrem Schoß aufbaute. Auch liebte ich ihre niegesehene, bei der Geburt ihres Kindes (meiner Mama) gestorbene Mama, meine Großmama, die Dichterin Johanna Kopp. Eines Tages sei ein Spanier aus Madrid nach Süddeutschland gekommen und habe unsere blau-äugige Großmama zum Altar geführt. Meine Mama war nicht nur meine beste Freundin, sie war auch mein Kaiser. Ich stand vor ihrem Zimmer Wache. Eroberte warme Länder für sie, damit sie nicht friere in den Wintertagen. Sie saß an Nachmittagen so gern für sich allein in ihrem Wohnstübchen und las in ihren Büchern. Den Petöfi in seiner Galauniform mit Schnüren, auf der ersten goldgerandeten Seite seines Gedichtbuchs, durfte ich mir ansehen. Oft blickten beim Abendbrot meiner Mama prachtvolle spanische Augen ganz weit in die Ferne . . . ich glaube nach Toledo.

Der alte Friedhof, auf dem meine Eltern schlummern und mein frommer, aschblonder Bruder, ein Heiliger, der jüngste meiner Brüder, ist Erde von Jerusalemerde, vom Erdfleisch des gelobten Bodens. Jerusalem ist überall zwischen uns Menschen im Leben und im Tod. Jerusalem reicht uns die Hand, geleitet uns zu beiden Wegen. Jerusalem heißt unser Engel in jedem Lande, in jedem Erdteil – sehnen wir ihn nur herbei.

Das letzte Geheimnis solle man nicht erzählen, sagte der Großpriester der Juden in Berlin, Dr. Baeck. Er zweifelte nicht an der Wahrheit meiner Geschichte. Ich mußte dem schlichten, großen Rabbuni immer wieder sagen, wie David ausgesehen, wie er gekleidet gewesen. Und ich glaube mich nicht zu versündigen, „das letzte Geheimnis" diesem mir frommen Buche zu verraten, mein himmlisches Gesicht dieser Dichtung einzuverleiben. Beselige ich auch nur ein paar Menschen, ja nur einen einzigen mit der Kunde der Engel. Ich sah, entrückt dieser Welt, nahe am heiligen Hügel meines teuren Kindes – die Engel. So wahr mir Gott helfe! Amen!

Rose Ausländer
ICH DENKE


Ich denke
an die Eltern die mich verwöhnten
an Spielzeug und Kindergespielen

an Lust und Qual meiner
ersten Liebe

an Venedig Luzern die
Riviera und Israel

an Hölderlin Trakl
Kafka und Celan

an das Getto an Todestransporte
Hunger und Angst

an den Unfall
das ewige Bett an Freunde die
mich verließen und Menschen
die mir beistehn

Ich denke an die Ohnmacht meines Körpers
die Macht des Denkens
an Zauberworte und
Lebenszauber

Der winkende Tod
denkt an mich

Rose Ausländer
TRÄNEN

Sie löschen das Feuer
das in dir brennt

Auf Befehl
der bestürzten Sekunde
rollen sie aus deinen Augen
den Wangenweg herab

Keiner kann sie aufhalten

Sie fragen dich nicht
um Erlaubnis

Verläßliche Salztropfen
deines inneren Meers

BERNHARD LEON

HIER RUHT IN GOTT
MEIN GELIEBTER MANN
UNSER TREUSORGENDER VATER
BARUCH LEON
GEB. AM 9. 3. 1867
GEST. AM 16. 4. 1941
IN UNSERER ERINNERUNG
LEBST DU, SOLANGE WIR ATMEN
הצנ

ZUM ANDENKEN AN
SEINE GELIEBTE TREUSORGENDE
EHEFRAU
GERTRUD LEON
GEB. MARKWALD
GEB. 18. FEBR. 1881 IN BERLIN
GEST. OKT. 1944 IN AUSCHWITZ
ALS OPFER DES NATIONALSOZIALISMUS
DIE AUFOPFERNDE, UNVERGESSLICHE
MUTTER UND GROSSMUTTER
IHRER KINDER UND ENKELKINDER
IN LONDON UND NEW-YORK
תנצב
ה

Franz Kafka
DAS WORT „SEIN"

Der wahre Weg geht über ein Seil, das nicht in der Höhe gespannt ist, sondern knapp über dem Boden. Es scheint mehr bestimmt, stolpern zu machen als begangen zu werden.

Der entscheidende Augenblick der menschlichen Entwicklung ist immerwährend. Darum sind die revolutionären geistigen Bewegungen, welche alles Frühere für nichtig erklären, im Recht, denn es ist noch nichts geschehen.

Wie ein Weg im Herbst: Kaum ist er rein gekehrt, bedeckt er sich wieder mit den trockenen Blättern.

Nur unser Zeitbegriff läßt uns das jüngste Gericht so nennen, eigentlich ist es ein Standrecht.

Lächerlich hast du dich aufgeschirrt für diese Welt.

Das Wort „sein" bedeutet im Deutschen beides: Dasein und Ihm-gehören.

Der Mensch kann nicht leben ohne ein dauerndes Vertrauen zu etwas Unzerstörbarem in sich, wobei sowohl das Unzerstörbare als auch das Vertrauen ihm dauernd verborgen bleiben können. Eine der Ausdrucksmöglichkeiten dieses Verborgenbleibens ist der Glaube an einen persönlichen Gott.

Im Kampf zwischen dir und der Welt sekundiere der Welt.

Prüfe dich an der Menschheit. Den Zweifelnden macht sie zweifeln, den Glaubenden glauben.

Der Tod ist vor uns, etwa wie im Schulzimmer an der Wand ein Bild der Alexanderschlacht. Es kommt darauf an, durch unsere Taten noch in diesem Leben das Bild zu verdunkeln oder gar auszulöschen.

Alle Leiden um uns müssen auch wir leiden. Wir alle haben nicht *einen* Leib, aber *ein* Wachstum, und das führt uns durch alle Schmerzen, ob in dieser oder in jener Form. So wie das Kind durch alle Lebensstadien bis zum Greis und zum Tod sich entwickelt (und jedes Stadium im Grunde dem früheren, im Verlangen oder in Furcht, unerreichbar scheint), ebenso entwickeln wir uns (nicht weniger tief mit der Menschheit verbunden als mit uns selbst) durch alle Leiden dieser Welt. Für Gerechtigkeit ist in diesem Zusammenhang kein Platz, aber auch nicht für Furcht vor den Leiden oder für die Auslegung des Leidens als eines Verdienstes.

„Daß es uns an Glauben fehle, kann man nicht sagen. Allein die einfache Tatsache unseres Lebens ist in ihrem Glaubenswert gar nicht auszuschöpfen."
    „Hier wäre ein Glaubenswert? Man kann doch nicht nicht-leben."
    „Eben in diesem ‚kann doch nicht' steckt die wahnsinnige Kraft des Glaubens; in dieser Verneinung bekommt sie Gestalt."

Morris Rosenfeld
## LAUBHÜTTENFEST VORBEI

Der Festtag vorbei.
Was ist das Gebetbuch so schwer?
Von Tränen sind die Blätter schwer . . .
Zerbrochen, zerschlagen die grüne Hütte,
Der Esrog verwelkt, verdorrt das Laub,
Der Palmzweig bleich, wie ein Toter so bleich,
   Zertreten am Boden
   Die Weidenäste.
   Zertreten am Boden.
   Das ist, mein Freund,
   Dein Wünschen und Hoffen.

Da liegen verwelkt die süßen Träume,
Da sind zertreten die schönen Freuden,
   Da ist gestorben das Glück.
   Da ist deine Liebe,
   Da ist dein Sehnen,
   Das ist, mein Freund,
   Deines Lebens ein Bild.

Das Blattwerk wird Staub, die Weiden verfaulen.
   Das Ende kommt, ist nah, ist da,
   Und weiß doch niemand,
   Woher es kommt.

Der Esrog verschrumpft, der Palmzweig zerbröckelt.
Der Tempeldiener fegt den Vorhof
Und fegt hinaus
Frucht und Laub und Staub . . .
Es weht ein Wind.
Wie ein Pfeil aus dem Bogen
Ist alles verflogen.

Aus dem Jiddischen von Berthold Feiwel

Morris Rosenfeld

# DIE FRIEDHOFSNACHTIGALL

Zwischen jenen dunklen Bergen
In ein düsteres Tal gebettet,
Liegt ein alter Totengarten,
Gräber gibt's da sonder Zahl.

Alte Gräber, stumme Steine
Moosbewachsen und verwittert.
Toteneinsamkeit. Die Menschen
Meiden scheu das Tal der Gräber.

Alte, dürre Weidenbäume
Blicken traurig in das Düster,
Und sie gleichen Nachtgespenstern,
Wie sie dastehn, stille Träumer.

Horch, da plötzlich sanfte Triller,
Weiche, schmerzlich-süße Klänge!
Ihre wundervollen Lieder
Singt die Friedhofsnachtigall.

Sanfte, lieblichwehe Klänge!
Und sie fliegt von Zweig zu Zweig.
Für die stummen Träumer singt sie
Ihre grabgebornen Lieder.

Wie die weichen Klänge zittern
Zwischen jenen alten Gräbern!
Dennoch wählt sie sich zum Singen
Keinen als den „guten" Ort.

Aus dem Jiddischen von Berthold Feiwel

Berthold Feiwel

LIEDER DES GHETTO

Lieder des Ghetto. Wohl ein Nachklang jüdischer Romantik, der aus längst-
vergangener Zeit in unsere Tage sich verlor? Denn das Ghetto, meint ihr, sei
längst nicht mehr. Die Mauern der Judenkerker seien gefallen, da die Trikolore
wehte und das Schmettern der Freiheitsfanfaren ertönte. Und vom Ghetto sei
nichts geblieben als die kleinen Histörchen, die so ergreifend zu erzählen
wissen von vergangener Not und so anmutig von den neuen besseren
Tagen.

Wohl – damals, als die Länder der Kultur von manchem anderen Stück
Mittelalter erlöst wurden, hat man auch die Ghettomauern geschleift. Die
Mauern. Der furchtbare Geist aber, der einst die starren Kerkerwände errichtet
hat, ist nicht gestorben. Unablässig ist er an der Arbeit und baut über Nacht
neue Wände, keine steinernen, aber er baut sie mit Händen, die noch kunst-
fertiger und noch grausamer geworden sind . . .

Doch von anderen Ghetti ist die Rede: von jenen, die sich über ganze Länder
dehnen – dort im Osten Europas –, deren Mauern nie zerbrochen wurden, und
von den entsetzlichen Stätten in den schmutzigsten Teilen europäischer und
nun auch amerikanischer Großstädte, in die sich in unseren Zeiten die jüdische
Not flüchten mußte.

Die ihr ein Stückchen Erde habt, auf dem ihr sicheren Fußes einhergeht, ein
Stückchen ererbten Rechtes euer eigen nennt, das euch keiner nehmen kann,
auch wenn ihr die Ärmsten seid, die ihr im Rausch der Freude und im Über-
maß des Schmerzes etwas Heimatliches habt, an das ihr euch zärtlich schmie-
gen könnet, das euch liebt und das ihr liebt, die ihr aus freier Brust lachen und
weinen könnet, auch wenn ihr die Niedrigsten seid, könnt ihr ahnen, was das
Ghetto ist? Wisset ihr es, die ihr mit dem ganzen Stolz des Europäers ein neues

Jahrhundert der Zivilisation eröffnet, ihr sogar, denen sonst nichts Menschliches fremd ist, die der Not und dem Leiden ihr Leben weihen, ihr glücklicheren Juden endlich, die ihr in der Gunst des Augenblickes euch gleichgültig oder scheu abwendet, wenn der Schatten fremdländischen jüdischen Unglücks auf euren Weg fällt?

Nur die können ermessen, was das Ghetto bedeutet, die die innerste Teilnahme dahin geführt hat, und die, die im Herzen ihr Geschick mit dem ihrer unglücklichen jüdischen Brüder verknüpft haben.

Wer aber vermöchte das Ghetto zu schildern?

Denn fast übermenschlicher, unsagbarer Leiden ist das Ghetto voll, in das Millionen Menschen gesperrt sind. Menschen? Die ärmsten Sklaven und zugleich die größten Helden sind es, die die Last des „Golus" schleppen, die furchtbarste Bürde, die je menschliche Nacken drückte. Nicht Menschen leben im Ghetto, nur die gequältesten menschlichen Lebensinstinkte. Hier lebt die Verzweiflung, die längst, Geschlechter vorher, sich an den furchtbaren Mauern stumpf gestoßen hat. Hier lebt die Entsagung, der die tiefste Entrechtung, das schmählichste Helotentum aufgebürdet ist. Hier lebt die dunkelste Armut, die hoffnungslose Not, die um ein bißchen Luft, Licht und Brot die Hände wund ringt. Hier lebt eine einzige Gottgläubigkeit und Liebe zur geheiligten Lehre, die Gott zur Ehre alle Martern erduldet, eine Askese, die um des himmlischen Lohnes willen die Ungeheuerlichkeit des Daseins wie eine Fügung, fast wie eine Schuld trägt, und die unauslöschliche Hoffnung auf das messianische Reich, auf die Erlösung durch Zion, die jeden Augenblick kommen kann. Hier lebt die schwere Tradition der Zeremonien und Feste, der traurigen mit ihren Fasten und Bußen, die die ganze Seele erfassen, der freudigen, die den einzigen kargen Schein in das trostlose Dunkel werfen. Hier lebt eine letzte Ahnung, daß es irgendwo auf Erden Frieden gibt, ein letzter Seufzer nach einem Ruheplätzchen, nach einem Stückchen Heimat . . .

Arnold Zweig
## DER VERGANGENHEIT WÜRDIG

Die Gelehrten und die Ingenieure haben mehr gehaßt und giftiger gescholten
als die Soldaten nach den Kämpfen; die Geistlichkeiten der großen christlichen
Kirchen haben, außer einzelnen und Sekten, den Krieg und den Haß unmittel-
bar und mittelbar gestärkt; und noch ist, trotz der Berner Konferenz, die wahre
Internationalität aller arbeitenden Massen nirgendwo wiederhergestellt – überall müssen erst die Träger der Gifte des Krieges und des Hasses ausgeschaltet
und ihre Wirkungen verwunden sein. Das Judentum aber als solches, als Geist,
als religiöse Gesinnung wie als nationale Aufgabe war wahrhaft neutral; es hat
nirgendwo Partei ergriffen, seine Haltung konnte nur abgekehrt, nur erschüt-
tert, nur trauernd sein, weil das Faktum des Krieges und der so beschaffenen
entgötterten Erde ihm nur die Partei des Friedens, der Verbindung, der sittlichen, auf Solidarität gegründeten Welt übrig ließ. Nun tritt es, schwach an
Zahl gegenüber den Völkern der Erde, in seine neue wirkende Phase; aber
diese Wirkung kann, da sie dem Geiste entspricht, welcher der Menschheit der
westlichen Erdhälfte das Gesetz des sittlichen Lebens verkündet und vorgelebt
hat, tiefer sein, als man heute zu hoffen wagt – dem Geiste, aus dem solche
Worte kamen: „So spricht Gott der Herr, der die Himmel schaffet und aus-
breitet, der die Erde machet und ihre Gewächse, der dem Volk den Odem gibt,
so darauf ist, und den Geist denen, die darauf gehen. Ich, der Herr, habe dich
gerufen mit Gerechtigkeit, und habe dich bei deiner Hand gefasset, und habe
dich behütet, und habe dich zum Bund unter die Menschen gegeben, zum
Licht der Völker; daß du sollst öffnen die Augen der Blinden, und die Gefange-
nen aus dem Gefängnis führen, und die da sitzen in Finsternis, aus dem
Kerker.“

Daß, wie die gebrechliche Natur des Menschen nun einmal ist, auch dies ver-

bindende und klärende Werk dem Widerstand von Juden begegnen wird, scheint klar und kann nicht überraschen. Denn eine Art von Juden, die nur Geburt und nichts sonst mit ihrem Stamme verbindet, wird wie einst versuchen, die Aufmerksamkeit der allgemeinen Öffentlichkeit von der Tatsache abzulenken, daß überhaupt jüdische Probleme bestehen, weil sie fürchtet, dann, bei so breiter Diskussion, auch auf sich unbehaglich empfundene Blicke zu spüren; eine zweite Art wird der Meinung sein, daß es zwischen ihr, der strengsten Hüterin traditionell-religiöser Ghettowelt und -sitte, und all den anderen Juden keine gemeinsame Plattform gebe, weil es nur eine einzige gebe, die ihre; und eine dritte wird einwenden, daß in der allgemeinen Lösung des menschlichen Problems, des Problems, wie Menschen ohne Ungerechtigkeit auf der Erde leben sollen, auch alle jüdischen Probleme gelöst sein werden, so daß es jüdischer Sonderlösung nicht bedürfe, weil es nur „die Menschheit" gebe und Völker Vorurteile seien. Unter den deutschen Juden wissen wir viele der ersten Art und richtige Vertreter der beiden anderen; aber wir antworten ihnen hier nicht; weder aus Hochmut, noch weil wir's nicht vermöchten, sondern weil wir den Widerspruch erwarten wollen, wenn er kommen will. Wir legen ihnen nur nahe, einzusehen, daß, was sie auch selber wollen und denken, es eine Tatsache ist, daß eine große, ja die größte Zahl von Juden den Drang hat, die jüdische Besonderheit zu erhalten, und von ihr Früchte der Zukunft erhofft, die der Vergangenheit würdig sein sollen; und, daß ein solches verbindendes und reinigendes Werk auf jeden Fall ein Gutes wirkendes Werk ist, das nicht zu hemmen auch sie sich genötigt sehen müssen. Denn die Wege zum Ziel sind verschieden, und gut ist jeder Weg, der reinen und erfüllten Herzens gegangen wird.

Nelly Sachs

IMMER IST DIE LEERE ZEIT


Immer ist die leere Zeit
hungrig
auf die Inschrift der Vergänglichkeit –
In der Fahne der Nacht
mit allen Wundern eingerollt
wissen wir nichts
als daß deine Einsamkeit
nicht die meine ist –
Vielleicht daß ein Traum-verwirklichtes Grün
oder
ein Sang
aus der Vorgeburt schimmern kann
und von den Seufzerbrücken unserer Sprache
hören wir das heimliche Rauschen der Tiefe –

Martin Buber

## SCHIFLUT: VON DER DEMUT

Gott tut nicht zweimal das gleiche Ding, sagt Rabbi Nachman von Bratzlaw.

Einzig und einmalig ist das Seiende. Neu und ungewesen taucht es aus der Flut der Wiederkünfte auf, geschehen und unwiederholbar taucht es in sie zurück. Jegliches erscheint zum andern Mal, aber jegliches gewandelt. Und die Würfe und Stürze, die über den großen Weltgebilden walten, und die Wasser und Feuer, die die Gestalt der Erde bauen, und die Mischungen und Entmischungen, die das Leben der Lebendigen kochen, und der Geist des Menschen mit all seinem Versuchen und Vergreifen an der weichen Fülle des Möglichen, sie alle können nicht ein Gleiches schaffen und nicht wiederbringen eins der Dinge, das da besiegelt ist, gewesen zu sein. Die Einmaligkeit ist eine Ewigkeit des Einzelnen. Denn mit seiner Einzigkeit ist er unverlöschbar in das Herz der Allheit eingegraben und liegt im Schoß des Zeitlosen immerdar als der so und nicht anders Beschaffene.

So ist die Einzigkeit das wesentliche Gut des Menschen, das ihm gegeben ist, es zu entfalten. Und dies eben ist der Sinn der Wiederkehr, daß sich die Einzigkeit in ihr immer mehr reinige und vollkommen werde; und daß in jedem neuen Leben der Wiederkehrende in ungetrübterer und ungestörterer Unvergleichbarkeit stehe. Denn reine Einzigkeit und reine Vollkommenheit sind eins, und wer so ganz und gar einzig geworden ist, daß keine Anderheit mehr Macht über ihn und Ort in ihm hat, der hat die Reise vollbracht und ist erlöst und kehrt in Gott ein.

„Jedermann soll wissen und bedenken, daß er in der Welt einzig ist in seiner Beschaffenheit, und kein ihm Gleicher war je im Leben, denn wäre je ein ihm Gleicher gewesen, dann brauchte er nicht zu sein. Aber in Wahrheit ist jeglicher ein neues Ding in der Welt, und er soll seine Eigenschaft vollkommen

machen, denn weil sie nicht vollkommen ist, zögert das Kommen des Messias."

Nur aus seiner eigenen Art, aus keiner fremden kann sich der Strebende vollenden. „Wer die Stufe des Gefährten erfaßt und seine Stufe fahrenläßt, diese und jene wird durch ihn nicht verwirklicht werden. Viele taten wie Rabbi Simon ben Jochai, und es geriet nicht in ihrer Hand, weil sie nicht in dieser Beschaffenheit waren, sondern nur wie er taten, da sie ihn in dieser Beschaffenheit sahen."

Aber wie der Mensch in einsamer Inbrunst Gott sucht und es doch einen hohen Dienst gibt, den nur die Gemeinde vollziehen kann, und wie der Mensch mit dem Tun seines Alltags Ungeheures wirkt, aber nicht allein, sondern der Welt und der Dinge bedarf er zu solchem Tun, so bewährt sich die Einzigkeit des Menschen in seinem Leben mit den andern. Denn je einziger einer in Wahrheit ist, desto mehr kann er den andern geben, und desto mehr will er ihnen geben. Und dies eine ist seine Not, daß sein Geben eingeschränkt ist durch den Nehmenden. Denn „der Schenkende ist von seiten der Gnade und der Empfangende ist von seiten des Gerichts. Und so ist es mit jedem Ding. Wie wenn man aus einem großen Gefäß in einen Becher gießt: das Gefäß schüttet sich in Fülle aus, aber der Becher setzt seiner Gabe die Grenze".

Der Einzige schaut Gott und umschlingt ihn. Der Einzige erlöst die gefallenen Welten. Und doch ist der Einzige kein Ganzes, sondern ein Teil. Und je reiner und vollkommener er ist, desto inniger weiß er es, daß er ein Teil ist, und desto wacher regt sich in ihm die Gemeinschaft der Wesen. Dies ist das Mysterium der Demut.

Rose Ausländer
RESPEKT


Ich habe keinen Respekt
vor dem Wort Gott

Habe großen Respekt
vor dem Wort
das mich erschuf
damit ich Gott helfe
die Welt zu erschaffen

Leo Baeck

# FRÖMMIGKEIT IN DER PARADOXIE

Das Deutliche wurzelt im Verborgenen, und das Verborgene trägt für den Menschen immer sein Deutliches. Die Tiefe des Lebens ist nicht zu erfassen, ohne daß sie auch von unserer Lebenspflicht zu uns spricht, und keine Lebens-pflicht wird wahrhaft vernehmbar, ohne daß sich uns die Tiefe des Lebens auch kündet. Wir können um den Grund unseres Lebens nicht wissen, ohne auch den Weg, der uns gewiesen ist, vor uns zu sehen, und wir können diesen unseren Weg nicht begreifen, ohne auch zu dem Grunde unseres Lebens hinzu-gelangen. Daß wir das Geschöpf Gottes sind, können wir nicht ganz in unserer Seele haben, wenn wir nicht dessen auch innewerden, daß wir Schöpfer unse-res Lebens sein sollen, und dieses unser Schöpfergebot können wir nicht ganz besitzen, wenn wir nicht dessen auch innebleiben, daß wir geschaffen sind – von Gott geschaffen, um selber zu schaffen, schaffend, weil wir von Gott geschaffen sind. Diese seelische Einheit von beidem ist die jüdische Frömmig-keit, die jüdische Weisheit, in ihr hat sich der Lebenssinn hier erschlossen.

Daher hat das Judentum seine Freiheit von dem Zwiespalte, den die verschie-denen Begriffe von Gott bringen. Dem Widerstreit zwischen Transparenz und Immanenz fehlt hier der Boden. Die Frömmigkeit lebt hier in der Paradoxie, in der Polarität, mit all ihrer Spannung und Geschlossenheit. Was in der Abstrak-tion, in der Welt der bloßen Gedanken ein Widerspruch ist, wird in der Reli-giosität zur Einheit, zur Ganzheit. Für sie gibt es kein Diesseits ohne das Jenseits und kein Jenseits, das nicht sein Diesseits hätte, keine kommende Welt ohne diese Welt und keine Menschenwelt ohne das, was über sie hinausreicht. Alles Diesseits ist im Jenseits verwurzelt, und alles Jenseits verlangt im Menschen sein Diesseits. Das Unendliche tritt im Endlichen hervor, und alles Endliche soll sein Unendliches erweisen. Des Menschen Leben führt von Gott zum Menschen

und vom Menschen zu Gott. Gott ist der Seiende, und er ist der Andersseiende. Gott gibt dem Menschen das Leben, und Gott fordert vom Menschen das Leben. Unsere Seele ist unser Göttliches, unser Geheimnis, sie hat, was in aller Seele lebt, und sie ist doch unser Menschliches, unser Eigenes, unser Ich, sie hat, was nur ihr gehört. Das Menschliche wohnt im Göttlichen, und das Göttliche verlangt von jedem sein Menschentum. Die Einheit von diesen beiden, dieser Sinn, der sich aus dem Gegensatz erhebt, ist erst die Wahrheit und trägt die ganze Gewißheit.

Auch das Gegeneinander von Mystik und Ethik hat demgemäß hier keinen Platz. Alle Religiosität hat hier ihr Unmittelbares, ihr Erlebtes und doch zugleich ihr Gebotenes, ihr zu Lebendes. Kein Erlebnis ohne die Aufgabe, und keine Aufgabe ohne das Erlebnis; in beidem zusammen ist erst das Leben. Alle Ethik im Judentum hat ihre Mystik und alle seine Mystik ihre Ethik. In der weiten Geschichte seiner Gedanken steht es so. Für die jüdische Mystik sind die Kräfte, die aus Gott hervorquellen, Willenskräfte; Ströme des Geheimnisses, voll des Gebotes, voll des Geheimnisses, kommen aus Gott hervor. Die Tat, die die Erfüllung des Gottesgebotes ist, öffnet ein Tor, daß sie in den Tag des Menschen hineinfluten. Alle Versenkung in die Gottestiefe ist immer zugleich eine Versenkung in den Willen Gottes, in sein Gebot. Und alle jüdische Ethik wiederum hat ihr Besonderes darin, daß sie Offenbarungsethik, fast möchte man sagen: Erlebnisethik, ist; sie ist die Kunde des Göttlichen. Vor jedem „Du sollst" steht beginnend und zugleich antwortend das Wort, welches das Wort auch des Geheimnisses ist: „So spricht der Ewige", und nach ihm steht beschließend und doch zugleich anhebend dieses selbe Wort: „Ich bin der Ewige, dein Gott!" In die Tiefen des Erlebnisses treibt die Ethik ihre Wurzel; bezeichnend ist, daß in der mittelalterlichen hebräischen Sprache dasselbe Wort die ethische Gesinnung und die mystische Versenkung benennt. Man kann eine Geschichte des Judentums schreiben, die eine Geschichte der Mystik ist, von den alten Zeiten bis zur Gegenwart, und man kann eine Geschichte des Judentums geben von Anbeginn an bis jetzt, die eine Geschichte des „Gesetzes" ist, und es ist die gleiche Geschichte. Und es ist zum großen Teil die Geschichte der gleichen

Männer. Viele der bestimmenden jüdischen Gesetzeslehrer, wie z. B. der Verfasser des vielgenannten „Schulchan aruch", sind die Männer der Mystik gewesen.

Es ist selbstverständlich, daß sich im Judentum bald das eine, bald das andere, bald das Geheimnis und bald das Gebot, hat stärker betonen können, und einzelne seiner Gebiete und seiner Zeiten haben darin ihr Besonderes. Erst dort, wo nur das eine, nur das andere die ganze Religion, der ganze Bereich der Frömmigkeit hat sein sollen, hat die Religion aufgehört, Judentum zu sein. Das Judentum hört auf, wo das Andachtsvolle, das Ruhende und Beruhigende alles bedeuten will, wo der Glaube sich mit sich selber, mit dem Geheimnis begnügt und dieser bloße Glaube schließlich seinen dunkelnden Schein dehnt, in dem das Wache versinkt und der Traum zum Leben wird. Die gebotlose Religion der bloßen Passivität ist nicht das Judentum. Und ebensowenig ist es dort noch, wo sich das Gebot mit sich zufriedengibt und es nur Gesetz ist, wo aller Bezirk des Lebens nur von ihm umfaßt sein und nur das, was in den Strahlen seiner kalten Helle liegt, der Sinn des Lebens sein soll, wo der Mensch alles gesehen zu haben meint, wenn er seinen Weg sieht, den er weitergehen soll. Die andachtlose Religion der bloßen Aktivität, diese Religion, die zur Ethik der Oberfläche oder zur bloßen Sitte des Tages wird, ist kein Judentum: Nur wo der Glaube sein Gebot und das Gebot seinen Glauben hat, ist die Welt des Judentums.

...CZYK

9. 4. 1891
25. 12. 1933

ZUM GEDENKEN

OSKAR HOLLAENDER
GEB. 25. 9. 1882, DEPORTIERT 23. 11. 1941

GERTRUD KLECZEWSKI GEB. HOLLAENDER
GEB. 12. 8. 1881, DEPORTIERT 14. 9. 1942

SAMUEL KLECZEWSKI
GEB. 21. 6. 1867, DEPORTIERT 14. 9. 1942

"HANNELE" LUISE BLÄTTNER
GEB. 7. 11. 1920, DEPORTIERT 3. 3. 1943

ERMORDET
IN RIGA, THERESIENS... UND
AUSCHWI...

Gertrud Kolmar

ANNO DOMINI 1933

Er hielt an einer Straßenecke.
Bald wuchs um ihn die Menschenhecke.

Sein Bart war schwarz, sein Haar war schlicht.
Ein großes östliches Gesicht,

Doch schwer und wie erschöpft von Leid.
Ein härenes verschollnes Kleid.

Er sprach und rührte mit der Hand
Sein Kind, das arm und frostig stand:

„Ihr macht es krank, ihr schafft es blaß;
Wie Aussatz schmückt es euer Haß,

Ihr lehrt es stammeln euren Fluch,
Ihr schnürt sein Haupt ins Fahnentuch,

Zerfreßt sein Herz mit eurer Pest,
Daß es den kleinen Himmel läßt –"

Da griff ins Wort die nackte Faust:
„Schluck selbst den Unflat, den du braust!

Du putzt dich auf als Jesus Christ
Und bist ein Jud und Kommunist.

Du krumme Nase, Levi, Saul,
Hier, nimm den Blutzins und halt's Maul!"

Ihn warf der Stoß, ihn brach der Hieb.
Die Leute zogen mit. Er blieb.

Gen Abend trat im Krankenhaus
der Arzt ans Bett. Es war schon aus.–

Ein Galgenkreuz, ein Dornenkranz
Im fernen Staub des Morgenlands.

Ein Stiefeltritt, ein Knüppelstreich
Im dritten, christlich-deutschen Reich.

Martin Riesenburger

# ICH HABE MIR DAMALS ALLES GENAU NOTIERT

[. . .] Im Dezember 1941 erfolgte die Anordnung, daß Juden mit sofortiger Wirkung die Benutzung öffentlicher Fernsprechzellen verboten ist. Zuwiderhandlungen wurden mit staatspolitischen Maßnahmen geahndet.

Am höchsten jüdischen Feiertag, dem Versöhnungstag, erschienen in aller Frühe Polizeibeamte, um die vorhandenen Radioapparate, die im Besitz von Juden waren, abzuholen. [. . .]

Wenn Menschen so Tag für Tag und Nacht für Nacht in Angst vegetieren mußten, wenn man nur in Verstecken, ausgestoßen von der Menschheit, leben durfte, um vielleicht in der nächsten Minute „verpfiffen" zu werden – denn das Denunziantentum stand in vollster Blüte –, wenn man Nacht für Nacht das Klopfen der Gestapo erwarten konnte: da kann man wohl verstehen, daß viele ein schnelles Ende herbeisehnten, daß eine große Zahl jüdischer Menschen zum Veronal oder Cyankali griff. Und hier beginnt eine Tragödie, welche nie aus meinem Gedächtnis schwinden wird, die ich niederschreibe, damit sie auch dem Gedächtnis der Menschheit erhalten bleibt.

Die Stätte dieser Tragödie war der Jüdische Friedhof in Weißensee. Ich will dieses Stück dunkelster Geschichte hier niederschreiben, ohne etwas hinzuzufügen – aber auch ohne etwas fortzulassen. Das große Zusammensinken des Gemeindekörpers der Berliner Jüdischen Gemeinde vollzog sich hier auf diesem Friedhof, aber unter der Asche ließen wir wenigen das Feuer weiterglühen, in der stillen Hoffnung, es wieder zu einer hellen Flamme zu entfachen. Ich befand mich nun hier auf dem Friedhof von der Frühe des Morgens bis zum späten Abend, umgeben von einem kleinen Kreis jüdischer Mitarbeiter, welche in nicht mehr zu überbietender Hingabe und treuester Pflichterfüllung ihre ungeheuer schwere Arbeit verrichteten. Jeder Tag war umzäunt von

Angst, jede Stunde brachte neues schweres Leid, jede Minute stellte uns vor oft kaum zu erfüllende Aufgaben. Aber nie wurde auch nur einer wankend, jeder hatte nur den einen Gedanken, mit aller Kraft durchzuhalten, denn jeder trug die Hoffnung im Herzen, daß der Tag der Erlösung kommen mußte.

Wir hatten hier eine doppelte Aufgabe zu erfüllen: die große Zahl der jüdischen Menschen, die freiwillig ihrem Leben angesichts der Verfolgung ein Ende setzten, zu beerdigen, aber auch das heilige Kultgut, das sich hier ansammelte, für eine neue Zukunft zu erhalten. Wir ließen uns von den Gedanken leiten, daß vielleicht doch noch Brüder und Schwestern als Überlebende aus den Konzentrationslagern wie auch aus der Illegalität zurückkehren würden. Diesen Geretteten wollten wir dann wenigstens die große traditionelle Begräbnisstätte, ihren Friedhof, übergeben und damit ihnen zeigen und sagen können, daß das Judentum in Berlin nicht aufgehört hatte zu existieren, daß trotz Leid und trotz persönlicher Gefahr alles getan wurde, wenn auch von einem so kleinen Kreis, um den Neubeginn der Berliner Jüdischen Gemeinde in der Stunde der Befreiung von diesem barbarischen Joch zu sichern. Dies alles gab uns Kraft, wenn wir auch oft niedergebeugt waren, denn ich darf es wohl sagen, unsere Augen haben hier Furchtbares gesehen. Tag für Tag wurden zahlreiche Menschen auf dem Friedhof eingeliefert, die, innerlich zermürbt, den Freitod den entsetzlichen Qualen, Folterungen und Mißhandlungen vorzogen. Alle Giftmittel standen hoch im Kurs.

Menschen im blühenden Alter, aber auch solche, die im Herbst ihres Lebens standen, bereiteten diesem Dasein selbst ein Ende durch Einnehmen dieser Schlaf- und Giftmittel. Wie oft stand ich hier an Särgen, deren vier Bretter ein einst hoffnungsvolles Leben bargen, ein Leben, das heute viel Wertvolles hätte leisten können, ein Leben, das vielleicht der Menschheit viel Schönes hätte spenden können. Es hat Wochen gegeben, in denen die Anzahl dieser Freitode so groß war, daß wir oft bis in die Abendstunden hinein Beerdigungen vollzogen.

Draußen tobte sich der Wahnsinn des Nazismus aus, hier in der Einsamkeit des Friedhofs aber wurde jeder Heimgegangene mit Würde und Andacht der

Erde übergeben. Ich will nicht verhehlen, daß wir oft genug mitgeweint haben. Ganz klein war der Kreis der Hinterbliebenen, der den Särgen folgte, denn nur wenige Menschen, Juden und auch Nicht-Juden, nahmen den Weg hierher, oft genug erschien „getarnt" die Gestapo zu solchen Beerdigungen, und dieser Gefahr wollte sich doch niemand aussetzen. Auch hier zeigten sich die Wirkungen der satanischen Idee der Menschenvernichtung.

Wenn jüdische Teilnehmer an Beerdigungen am Ausgange der Straße, die vom Friedhof zu der früheren Berliner Allee führt, dort den Fahrdamm gedankenlos schräg überquerten, so stand besonders an Sonntagen an dieser Stelle ein Mann der Gestapo. Er hielt die Betreffenden an, nahm ihnen die Kennkarte ab, die ja mit dem „J" (Jude) gekennzeichnet war, und bestellte diese Menschen für den anderen Tag zur Leitstelle der Gestapo in der von uns allen gefürchteten Burgstraße.

Viele hat es gegeben, die diesen Weg nach dort nicht antraten, sondern untertauchten, das heißt sofort in die Illegalität gingen. Andere aber griffen in ihrer Verzweiflung zu dem Schlafmittel für die Ewigkeit, und wenige Tage später erfolgte dann bei uns auf dem Friedhof ihre Einlieferung. Es gab aber auch etliche, die ihre Schritte zur Burgstraße lenkten – viele von ihnen wurden nie mehr gesehen! Irgendwo wird ihr Leben nach unsagbaren Qualen in einem Konzentrationslager oder in der berüchtigten Prinz-Albrecht-Straße, wo sich das Reichssicherheits-Hauptamt befand, ein Ende gefunden haben. Die Vielheit dieser Fälle veranlaßte damals die Friedhofsverwaltung, ein Schild auf einem Eisenständer an dieser Wegkreuzung mit dem Hinweis aufzustellen, den Fahrdamm in gerader Richtung zu überqueren. Bald darauf nahm die Gestapo an der anderen Kreuzung, am Antonplatz, Aufstellung, um dort ihre Opfer zu fangen. So standen wir in der Ausübung unserer Tätigkeit auf dem Friedhof gleichsam zwischen den Lebenden und den Toten. [. . .]

Wenn man durch die weiten Alleen dieses Friedhofes geht, vorbei an Tausenden von Gräbern, an Grabsteinen mit Namen, die einst in der Wissenschaft, in der Medizin und in der Kunst einen guten Klang hatten, da gelangt man an einen Seitenweg, und das Auge erblickt ein großes Erbbegräbnis, vielleicht könnte es ein kleiner Tempel sein. In der Mitte erhebt sich gleich einem Altar ein steinerner Block mit der Inschrift „Herr Gott, du bist unsere Zuflucht für und für". Darüber wölbt sich ein Dach, das von vierzehn hohen Säulen getragen wird, und an der Rückwand liest man nur die schlichte Inschrift: „Joseph Schwarz, geb. 10. 10. 1881 – gest. 10. 11. 1926".

Es ist das Grab des berühmten Kammersängers und Baritons der Berliner Staatsoper. Seine wunderbare Stimme und seine überragende Darstellungskunst waren einst in der ganzen Welt bekannt. Nun, nachdem diese herrliche Stimme verklungen – sein Rigoletto wird vielen, die ihn noch hören konnten, unvergessen bleiben –, nun, da die sterblichen Überreste dort unter diesem kleinen Tempel schon siebzehn Jahre ruhten, wurde seine Grabstätte nächtlicherweise oft eine Zufluchtstätte für illegal lebende Juden, für gehetzte Menschen, die zur Zeit des Abends nicht mehr wußten, wo sie ihr Haupt, sei es auch nur für Stunden, zur Ruhe legen durften. In der Mitte des Daches dieses Erbbegräbnisses befand sich eine Glasplatte. Man hob diese immerhin schmale Platte und suchte sich links oder rechts von ihr ein Ruhelager für die Nacht. Unten ruhte der begnadete Sänger, der einst tausende Menschen durch seinen Gesang zu heller Begeisterung aufflammen ließ, oben lagen seine Glaubensbrüder im unruhigen Schlaf, durch den sich nur die eine bange Frage zog: Wie lange noch?

Auch das Sterben jüdischer Menschen in der Illegalität gestaltete sich oft zu einer Tragödie, die ich nicht unerwähnt lassen möchte. In den frühen Morgenstunden eines jener finsteren Tage erschien einmal eine nichtjüdische Frau in unserer Friedhofsverwaltung. Sehr geheimnisvoll und verängstigt berichtete sie, daß in ihrer Wohnung ein jüdischer Mann verstorben sei. Ausdrücklich betonte sie, daß wir doch möglichst ohne Stern an unserer Kleidung, den Davidstern an unserem Leichenwagen hatten wir bereits längst abmontiert, in den dunklen Abendstunden den Verstorbenen abholen sollten. Alles sollte ganz unauffällig geschehen, da ihre Nachbarin der Nazipartei angehörte, sie könnte sonst große Unannehmlichkeiten haben. Nach Eintritt der damals vorgeschriebenen Verdunklung nahmen wir den Transport vor. Als wenige Tage darauf die Beerdigung in Weißensee stattfand und ich mich in die Wartehalle begab, waren nur einige Frauen anwesend. Jede führte einen Kranz mit sich. Diese Frauen, alles sogenannte Arierinnen, hatten diesen verfemten Juden nacheinander beherbergt, sie hatten die Pforten ihrer Wohnungen geöffnet, um diesen ruhelosen Menschen vor dem Zugriff der Gestapo zu beschützen. Ich weiß nicht mehr, wie diese Frauen hießen, aber nun, da sich die Erde über diesem so geheim verstorbenen Mann jüdischen Glaubens für immer geschlossen hat, danke ich diesen Nichtjüdinnen für ihre Tat reinster Menschlichkeit aus tiefstem Herzen! Sie hatten um eines Mitmenschen willen ihr eigenes Leben aufs Spiel gesetzt.

Ich möchte nicht unerwähnt lassen, daß jeder Jude, der bis zur Stunde der Befreiung im Jahre 1945 starb, genau nach Vorschrift unserer jüdischen Religion beerdigt wurde. Die ungeheure und oft seelisch schwer belastende Tätigkeit der wenigen auf dem hiesigen Friedhof wirkenden jüdischen Menschen darf nie vergessen werden. Alle Hände und alle Gedanken waren zusammengeschweißt von der Erfüllung des großen Wunsches, gemeinsam das Ende jener Tyrannenherrschaft zu erleben, um dann ein heiliges Erbgut den wenigen heimkehrenden Brüdern und Schwestern unversehrt zu übergeben. Jene grausamen Bombennächte, besonders in dem Jahre 1944 und bis zur Befreiung, hatten auch auf unserem Friedhof schwere Schäden angerichtet. Etwa fünfzig Bomben vernichteten nahezu viertausend Gräber, große Erbbegräbnisse wurden total zerstört und weit durch die Luft geschleudert. Die große Trauerhalle in der Mitte des Friedhofes wurde vollkommen zerstört. Die gewaltige Kartei aller seit 1880 hier Bestatteten, sie umfaßt über 113 700 Karten, alle Gräbertafeln und das gesamte dazugehörige Inventar konnten durch die eiserne Pflichterfüllung der hier noch Beschäftigten hinübergerettet werden. [. . .]

Eine große Aufgabe hatten wir uns aber noch gestellt, deren Durchführung uns oft an die Gefahrengrenze brachte, selbst in die Fänge der Gestapo zu geraten. Im Verlauf der letzten Jahre des sogenannten Dritten Reiches sammelte sich das heiligste Gut des Judentums in großer Zahl an: 560 Thorarollen hatten wir zu verbergen. Diese heiligen Kultgeräte mitsamt dem dazugehörigen Silber, nahezu 800 wertvolle Bücher, darunter Teile des Babylonischen Talmuds, mehrere Traubaldachine in herrlicher Goldstickerei – es waren Kultgeräte, mit denen man viele große Gemeinden hätte versehen können – befanden sich auf unserem Friedhof. [...] Wir haben dieses große Heiligtum aus der tiefsten Nacht der Unmenschlichkeit gerettet und es erhalten für die leider so wenigen Überlebenden der Berliner Gemeinde, die 1945 zurückkehrten. Von der steten Gefahr, der wir hierbei ausgesetzt waren, möchte ich nicht schweigen, denn ganz in der Nähe des Friedhofs, in der ehemaligen Wörthstraße, der jetzigen Smetanastraße, hatte sich ein Heim der Berliner Jüdischen Gemeinde befunden. Die 180 Insassen dieses Hauses wurden deportiert und vergast. In dieses Gebäude zog die Gestapo ein, und bei jedem Fliegeralarm nahmen diese Männer den Weg über unseren Friedhof, um schnellstens den nahe gelegenen Bunker der Kindl-Brauerei erreichen zu können. Sie versuchten, ihr „kostbares" Leben zu retten, während Millionen von den Angehörigen der gleichen Gilde gemartert, gefoltert und bestialisch hingemordet wurden. [...]

Bis 1944 hatte ich noch einen jüdischen Kalender angefertigt und Seite für Seite auf der Maschine vervielfältigt, so daß ich jüdische Menschen mit den genauen Daten der Feiertage versorgen konnte. Es gab in jenen Jahren aber auch Juden, sogar illegal lebende, die unter ihrem „neuen" Namen telefonisch bei mir in der Friedhofsverwaltung anriefen und mit gutgetarnten Worten zu verstehen gaben, ob man auf dem Friedhof nicht einmal zu einem Gottesdienst zusammenkommen könnte. Dies geschah besonders vor jüdischen Feiertagen. Da die Gestapo über herannahende Feiertage der Juden stets sehr gut informiert war, schien hier größte Vorsicht geboten.

Doch wir waren im wahrsten Sinne des Wortes eine verschworene Gemeinschaft. So gelang es mir besonders anläßlich der Hohen jüdischen Feiertage, am Neujahrsfest, am Versöhnungstag wie am Laubhüttenfest, auf dem Friedhof geheime Gottesdienste abzuhalten. [...] Diese geheimen Andachten führte ich noch bis Ende des Jahres 1944 durch. Besonders wird mir und den wenigen Beteiligten das letzte Laubhüttenfest aus der dunkelsten Zeit des Faschismus im Gedächtnis bleiben. Mit der emsigen Hilfe von zwei jungen jüdischen Menschen, die hier noch arbeiteten, baute ich ganz versteckt in einem tiefen Grund hinter der alten großen Trauerhalle, die vollkommen unversehrt geblieben war, eine kleine Laubhütte auf. Nach außen war sie gut getarnt. Und als sich der erste Abend dieses schönen Festes herniedersenkte, fand sich dort still eine kleine Zahl jüdischer Menschen zusammen. Es ging alles gut und ungestört ab. Und als wir uns verabschiedeten, waren wir nur von dem einen Wunsch erfüllt, im nächsten Jahr dieses Fest in Freiheit wiederzubegehen. Eine Gewißheit trugen wir im Herzen: *Das Licht verlöschte nicht!* [. . .]

Man schrieb Montag, den 23. April 1945. Schwere Luftkämpfe spielten sich nun schon über unseren Häuptern ab, aber die Sonne sandte ihre ersten wärmeren Strahlen zur durchfurchten Erde herab. Unsere Herzen befanden sich in großer Alarmbereitschaft, keine Minute sah uns ruhig, große Ereignisse warfen schon ihre Schatten voraus, und das Quecksilber unserer inneren Erregung stieg rapide hoch. Als es 15 Uhr war – ich habe mir damals alles genau notiert –, durchschritt das Tor unseres Friedhofs der erste sowjetische Soldat! Aufrecht und gerade war sein Gang. Ich hatte das Gefühl, daß er mit jedem Schritt bei seinem Kommen zu uns ein Stück des verruchten Hakenkreuzes zertrat. Wir umarmten diesen Boten der Freiheit, wir küßten ihn – und wir weinten!

Wenn ich vieles aus meinem Leben vergessen habe, was menschlich verständlich ist, diesen einen Augenblick der Erlösung, diese Minute, welche für uns alle das Tor zur Freiheit öffnete, wird mir unvergessen bleiben bis zur letzten Stunde meines Lebens.

Paul Celan
DIE SCHLEUSE


Über aller dieser deiner
Trauer: kein
zweiter Himmel.

· · · · · · · · · ·

An einen Mund,
dem es ein Tausendwort war,
verlor –
verlor ich ein Wort,
das mir verblieben war:
Schwester.

An
die Vielgötterei
verlor ich ein Wort, das mich suchte:
*Kaddisch.*

Durch
die Schleuse mußt ich,
das Wort in die Salzflut zurück-
und hinaus- und hinüberzuretten:
*Jiskor.*

Hannah Arendt

# DIE UNWIDERRUFLICHKEIT DES GETANEN
# UND DIE MACHT ZU VERZEIHEN

[. . .] Das Heilmittel gegen Unwiderruflichkeit − dagegen, daß man Getanes nicht rückgängig machen kann, obwohl man nicht wußte, und nicht wissen konnte, was man tat − liegt in der menschlichen Fähigkeit zu verzeihen. Und das Heilmittel gegen Unabsehbarkeit − und damit gegen die chaotische Unge-wißheit alles Zukünftigen − liegt in dem Vermögen, Versprechen zu geben und zu halten. Diese beiden Fähigkeiten gehören zusammen, insofern die eine sich auf die Vergangenheit bezieht und ein Geschehenes rückgängig macht, dessen „Sünde" sonst, dem Schwert des Damokles gleich, über jeder neuen Generation hängen und sie schließlich unter sich begraben müßte; während die andere ein Bevorstehendes wie einen Wegweiser in die Zukunft aufrichtet, in der ohne die bindenden Versprechen, welche wie Inseln der Sicherheit von den Menschen in das drohende Meer des Ungewissen geworfen werden, noch nicht einmal irgendeine Kontinuität menschlicher Beziehungen möglich wäre, von Bestän-digkeit und Treue ganz zu schweigen.

Könnten wir einander nicht vergeben, d. h. uns gegenseitig von den Folgen unserer Taten wieder entbinden, so beschränkte sich unsere Fähigkeit zu han-deln gewissermaßen auf eine einzige Tat, deren Folgen uns bis an unser Lebensende im wahrsten Sinne des Wortes verfolgen würden, im Guten wie im Bösen; gerade im Handeln wären wir das Opfer unserer selbst, als seien wir der Zauberlehrling, der das erlösende Wort: Besen, Besen, sei's gewesen! nicht findet. Ohne uns durch Versprechen für eine ungewisse Zukunft zu binden und auf sie einzurichten, wären wir niemals imstande, die eigene Identität durchzuhalten; wir wären hilflos der Dunkelheit des menschlichen Herzens, seinen Zweideutigkeiten und Widersprüchen, ausgeliefert, verirrt in einem Labyrinth einsamer Stimmungen, aus dem wir nur erlöst werden können durch den Ruf der Mitwelt, die dadurch, daß sie uns auf die Versprechen festlegt, die wir gegeben haben und nun halten sollen, in unserer Identität bestätigt, bzw. diese Identität überhaupt erst konstituiert. Beide Fähigkeiten können sich somit überhaupt nur unter der Bedingung der Pluralität betätigen, der Anwesenheit von anderen, die mit-sind und mit-handeln. Denn niemand kann sich selbst verzeihen, und niemand kann sich durch ein Versprechen gebunden fühlen, das er nur sich selbst gegeben hat. Versprechen, die ich mir selbst gebe, und ein Verzeihen, das ich mir selbst gewähre, sind unverbindlich wie Gebärden vor dem Spiegel.

Nelly Sachs

AN EUCH, DIE DAS NEUE HAUS BAUEN

> Es gibt Steine wie Seelen.
> *Rabbi Nachman*

Wenn du dir deine Wände neu aufrichtest –
Deinen Herd, Schlafstatt, Tisch und Stuhl –
Hänge nicht deine Tränen um sie, die dahingegangen,
Die nicht mehr mit dir wohnen werden
An den Stein
Nicht an das Holz –
Es weint sonst in deinen Schlaf hinein,
Den kurzen, den du noch tun mußt.

Seufze nicht, wenn du dein Laken bettest,
Es mischen sich sonst deine Träume
Mit dem Schweiß der Toten.

Ach, es sind die Wände und die Geräte
Wie die Windharfen empfänglich
Und wie ein Acker, darin dein Leid wächst,
Und spüren das Staubverwandte in dir.

Baue, wenn die Stundenuhr rieselt,
Aber weine nicht die Minuten fort
Mit dem Staub zusammen,
Der das Licht verdeckt.

# JISKOR
Zum Gedächtnis der jüdischen Märtyrer

Es gedenke der Allmächtige der Seelen
jener Heiligen und Lauteren, welche
ermordet, hingeschlachtet, verbrannt,
ertränkt und erstickt wurden um seines
heiligen Namens willen. Wir geloben
wohlzutun im Gedächtnis ihrer Seelen,
die teilhaben mögen am ewigen Leben
mit den Seelen Abrahams, Isaaks und Jakobs,
Sarahs, Rebekkas, Rachels und Leahs,
sowie den Seelen aller Gerechten
im Garten Eden.
Darauf sagen wir Amen.

# ANHALTENDES NACHDENKEN

I

Vor einem Vierteljahrhundert sah sich Gershom Scholem, einst als Gerhard Scholem ins Berliner Geburtenregister des Jahrgangs 1897 eingetragen, in Jerusalem genötigt, öffentlich jener unfrommen, wirklichkeitswidrigen Legende zu widersprechen, die bis auf den heutigen Tag kursiert. „Wider den Mythos vom deutsch-jüdischen ‚Gespräch‘" überschrieb er seinen Offenen Brief an den Herausgeber einer Margarete Susman gewidmeten Festschrift, die sich nach dem erklärten Willen des Editors „auch als Dokument eines im Kern unzerstörbaren deutsch-jüdischen Gesprächs" erweisen wollte. „Ich bestreite", schrieb Gershom Scholem, „daß es ein solches deutsch-jüdisches Gespräch in irgendeinem Sinne *als historisches Phänomen* je gegeben hat. Zu einem Gespräch gehören zwei, die aufeinander hören, die bereit sind, den anderen in dem, was er ist und darstellt, wahrzunehmen und ihm zu erwidern. Nichts kann irreführender sein, als solchen Begriff auf die Auseinandersetzungen zwischen Deutschen und Juden in den letzten 200 Jahren anzuwenden. Dieses Gespräch erstarb in seinen ersten Anfängen und ist nie zustande gekommen. [. . .] Wo Deutsche sich auf eine Auseinandersetzung mit den Juden in humanem Geiste eingelassen haben, beruhte solche Auseinandersetzung stets, von Wilhelm von Humboldt bis zu George, auf der ausgesprochenen und unausgesprochenen Voraussetzung der Selbstaufgabe der Juden, auf der fortschreitenden Atomisierung der Juden als einer in Auflösung befindlichen Gemeinschaft, von der bestenfalls die einzelnen, sei es als Träger reinen Menschentums, sei es selbst als Träger eines inzwischen geschichtlich gewordenen Erbes, rezipiert werden konnten. [. . .] Es ist wahr: daß jüdische Produktivität sich hier verströmt hat, wird jetzt von den Deutschen wahrgenommen, wo alles vorbei ist. Ich wäre der letzte zu leugnen, daß darin etwas Echtes – Ergreifendes und Bedrückendes in einem – liegt. Aber das ändert nichts mehr an der Tatsache, daß mit den Toten kein Gespräch mehr möglich ist, und von einer ‚Unzerstörbarkeit dieses Gesprächs‘ zu sprechen, scheint mir Blasphemie.“


## II

Scholems Offener Brief aus dem Dezember 1962 liest sich im Blick auf manch hoffnungsstarken Beitrag und auf manch zuversichtlichen Beiträger der vorliegenden schmalen Sammlung wie ein vernichtendes Resümee. Das Vernichtende an diesem Resümee ist – wie wir gut wissen oder wissen könnten – allerdings nicht dem Blick dessen verschuldet, der es zog, sondern jener Generation und jenen Generationen vor uns, deren Unfähigkeit oder Unwilligkeit zum entgrenzenden Gespräch Scherflein um Scherflein zu dem beitrugen, was als die massenhafte physische Vernichtung des europäischen Judentums untilgbar im Schuldbuch deutscher Geschichte steht.

Seit ich Scholems Brief kenne, weiß ich ihn auch als an mich adressiert. Und ich zögere seitdem noch mehr als ohnehin, mein Bemühen um Vermittlung eines winzigen Teils dessen, was jüdische Kultur auszeichnete und auszeichnet, fortzusetzen. Denn die Versuchung zum Vorlauten, zur geistigen Leichenfledderei unter ethisch drapierter Flagge, zur Bagatellisierung des Unwiderruflichen ist für ein christlich-deutsches Gemüt wie das meine groß. Die besten Absichten verstellen und vernebeln allzuoft die Aussicht. Auch das frömmste Hoffen und Harren macht manchen zum Narren. Nach Auschwitz gegen Auschwitz leben – kann redlich nur gelingen, wenn Auschwitz unverdrängt bleibt. Ein Pfahl im Fleisch des erlösungssüchtigen Bewußtseins. Was uns Nachgeborenen hie und da wie eine unzumutbare moralische Herausforderung erscheint, ewig und ewig zu gedenken, ist den wenigen Überlebenden des Vernichtungsapparats, die noch unter und mit uns sind, unabwendbar schlimm gegenwärtig. „Je weiter Auschwitz entfernt ist“, bekennt Grete Weil in unseren Tagen, „desto näher kommt es, die Jahre dazwischen sind weggewischt. Auschwitz ist Realität, alles andere Traum.“

## III

Jude. Judentum. Jüdisch.

Was eigentlich meinen diese Begriffe? Wen und was vermögen sie wirklich zu bezeichnen?

Jedem ernsthaften Versuch, heute und hier eine bündige Antwort auf diese Fragen zu finden, sitzt die Angst heilloser Erinnerung an die „Nürnberger Gesetze" im Nacken. In ihnen und durch sie wurde vor einem Halbjahrhundert zu Tode definiert, wer Jude sei, wer Jude zu sein und wer als Jude zu gelten habe; zum Kriterium wurde die haltlose Fiktion von einer „jüdischen Rasse". Der mörderische Zusammenhang zwischen Definition und Deportation ist spätestens seitdem geschichtsnotorisch. Auch christlich bemühtes Definieren und Dividieren schlug da und lange zuvor nicht weniger unheilvoll zu Buche.

Zwischen Luthers erkenntnisfreudiger Schrift „Daß Jesus Christus ein geborener Jude sei" und seinem schändlichen Pamphlet „Von den Jüden und ihren Lügen" liegen zwei Jahrzehnte. Im Blick auf Luthers riesiges Werk erweist sich die späte Mordschrift als übergeh- und vertuschbar. Im Blick auf das Schicksal der jüdischen Minorität nicht.

Seit dem 11. Jahrhundert, seit Beginn des ersten Kreuzzugs läuft für die Angehörigen jüdischer Gemeinden in Deutschland und im deutschen Sprachgebiet die Geschichte auf eine Geschichte der massenhaften Vertreibung, der blutigen Pogrome, der Ghettoisierung und der letztlichen Vernichtung hinaus. Unterbrochen durch kurze Perioden tunlicher Nichtbeachtung, berechnender Verschonung, herablassend ausnehmender Vereinnahmung, halbherzig gespendeter Aufmerksamkeit. Natürlich ließe sich diese Geschichte heute im Detail etwas anders und freundlicher lesen, hätten wir sie nicht gestern auf den endgültig einsilbigen Text von Auschwitz gebracht.

IV

„Jüdische Stimmen zu Vergehen und Werden, Bleiben und Sein". Aller bis jetzt eingestandenen Trost-, Rat- und Sprachlosigkeit zum Trotz verrät der von mir gewählte Untertitel vorliegender Sammlung einen Anflug von Gewiß- heit. Das provoziert die Selbstbefragung. Und von allen denkbaren Fragen an mich höre ich am dringlichsten jene nach dem, was mir „jüdische" Stimmen sind.

Mir sind es die Stimmen jener Menschen, die sich im nachdenklichen Blick auf ihre Existenz − unabhängig von aller anderen und zusätzlichen Selbst- definition, etwa als Deutscher oder als Atheist − selbst als jüdisch empfanden und darüber hinaus in ihren Äußerungen erkennen ließen, daß der Begriff des Judentums, ob nun religiös, ethnisch, national oder kulturell gefaßt, für sie von persönlicher Bedeutung war und ist. Diese In-acht-Nahme erklärt, warum unter vielen anderen hier hinzudenkbaren Autoren Kurt Tucholsky fehlt. Und sie erklärt zugleich, warum Arnold Zweig vertreten ist.

Wer mich heute befragt, wer oder was eigentlich ein Jude ist, dem weiß ich nur eine einzige redliche Antwort: derjenige, der ohne äußere und innere Not, ohne Nötigung von und für sich bekennt, Jude zu sein. Ein Gedankengang, der es jedem gestattet, sich der Etikettierung von außen zu entziehen.

Seit langem machen jüdische Gemeinden aus gutem, von Erfahrung ge- schütztem Wissen es jenen schwer, die sich ihnen anschließen wollen.

Philosemiten sind nicht weniger als Antisemiten darauf aus, Juden und Jüdisches aufzuspüren. Beide operieren mit und auf dem Prokrustesbett ihrer irrationalen Vorurteile und Erwartungen. Den einzigen Unterschied macht die Über- bzw. Unterlänge des verwendeten Modells.

Als ich Frau X., ehemals Y., in Budapest danach fragte, was es ihr bedeute, Jüdin zu sein, antwortete sie mir: „Ach, wissen Sie, das ist wie Pech gehabt zu haben!" Und als sie hinzufügte: „Entschuldigen Sie bitte, aber die einzigen, vor denen wir uns fürchten, sind die Deutschen", begriff ich einmal mehr, daß auch ich kein „anderer" Deutscher bin. Und daß ich mich nicht selbst, auch nicht durch Scham und bessere Einsicht, aus deutscher Geschichte und ihren Konsequenzen entlassen können würde.

Die Probe aufs mörderische Exempel ist mir – es gibt keine „Gnade der späten Geburt" – unverdient erspart geblieben. Nahe und liebe Verwandte von mir, denen ich direkt nachkomme, haben diese Probe nicht bestanden.


V

Immer und immer wieder zu bekennen.

Ewig und ewig zu gedenken.

Das Gedächtnis der Täter ist gemeinhin kürzer als das der Opfer. Gegen das Erblichwerden solch schlechten Erinnerungsvermögens hilft den Kindern der Täter nur der bewußte Verzicht auf diesen Teil der elterlichen Hinterlassenschaft. Seelenruhe ist dabei nicht zu gewinnen, wohl aber eine wache und selbstkritische Distanz, allem Geschehenen wie allem Geschehen gegenüber. Nicht zuletzt wehrte sich Gershom Scholem in seinem eingangs zitierten Brief gegen diesen Mangel an Distanz, der unserem wie auch immer gut gemeinten Bemühen einiges an Zudringlichem und Bedrängendem verleiht.

In diesem Zusammenhang gestehe ich, daß mir das Wort vom „christlich-jüdischen Dialog", dem auch hierzulande mittlerweile Flügel gewachsen sind, schwer auf die Lippen will. Ratlos und verlegen erinnere ich mich jener Situationen, in denen ein, zwei Mitglieder hiesiger oder auswärtiger jüdischer Gemeinden vor mehr oder minder großen christlichen Auditorien sich bis zur Erschöpfung fragen und überfragen ließen. Schrecken überfällt mich im Gedanken an das Inquisitorische dieses Geschehens und an den unstillbaren Heißhunger der Fragenden auf endgültige Antworten . . .

## VI

„Du sollst dir kein Bildnis machen."

Vielleicht müssen wir auf diesen, in christlicher Tradition wenig behüteten und bedachten Satz des Dekalogs zurückkommen, um wirklich dialogfähig zu werden.

1946, vor nun schon mehr als vier Jahrzehnten, notierte Max Frisch unter der Rubrik dieses Satzes in seinem Tagebuch: „Es ist bemerkenswert, daß wir gerade von dem Menschen, den wir lieben, am mindesten aussagen können, wie er sei. Wir lieben ihn einfach. Eben darin besteht ja die Liebe, das Wunderbare an der Liebe, daß sie uns in der Schwebe des Lebendigen hält, in der Bereitschaft, einem Menschen zu folgen in allen seinen möglichen Entfaltungen. Wir wissen, daß jeder Mensch, wenn man ihn liebt, sich wie verwandelt fühlt, wie entfaltet, und daß auch dem Liebenden sich alles entfaltet, das Nächste, das lange Bekannte. Vieles sieht er wie zum ersten Male. Die Liebe befreit es aus jeglichem Bildnis. [. . .] In gewissem Grad sind wir wirklich das Wesen, das die andern in uns hineinsehen, Freunde wie Feinde. Und umgekehrt! auch wir sind die Verfasser der andern; wir sind auf eine heimliche und unentrinnbare Weise verantwortlich für das Gesicht, das sie uns zeigen, verantwortlich nicht für ihre Anlage, aber für die Ausschöpfung dieser Anlage. Wir sind es, die dem Freunde, dessen Erstarrtsein uns bemüht, im Wege stehen, und zwar dadurch, daß unsere Meinung, er sei erstarrt, ein weiteres Glied in jener Kette ist, die ihn fesselt und langsam erwürgt." Und in der übernächsten Eintragung skizziert Frisch unter der Zeile „Der andorranische Jude" den Grundeinfall seines fünfzehn Jahre später ausgeführten Stückes „Andorra". Am Ende der Skizze aus dem April 1946 liest sich: „Du sollst dir kein Bildnis machen, heißt es, von Gott. Es dürfte auch in diesem Sinne gelten: Gott als das Lebendige in jedem Menschen, das, was nicht erfaßbar ist. Es ist eine Versündigung, die wir, so wie sie an uns begangen wird, fast ohne Unterlaß wieder begehen – Ausgenommen wenn wir lieben."

VII

„Du sollst dir kein Bildnis machen!"

Ein paradox anmutendes Motto für einen Bild-Text-Band. Und doch will es Dietmar Riemann und mir nun scheinen, als hätte es unsere Arbeit wesentlich bestimmt und begleitet. Denn die Absichten, die wir mit der Zusammenstellung und Herausgabe dieses Buches letztlich hegen, lassen sich kaum besser als in der soeben zitierten Lesart dieses Satzes durch Max Frisch ins Wort bringen. Einer Lesart, die von den gleichfalls paradox berührenden Grunderfahrungen eines Distanz gewährenden und Freiheit ermöglichenden Liebens her aus- und aufgeht; einer Lesart, die auf Verwandlung in Lebensart dringt.

Die Bilder dieses Buches, wiewohl allesamt auf dem Jüdischen Friedhof in Berlin-Weißensee entstanden, geben und erstreben auch in der Summe kein Bild von der äußeren Realität dieser Anlage, ihrer Ordnung und ihren Dimensionen.

(Die am 9. September 1880 eingeweihte Begräbnisstätte, auf der etwa einhundertundfünfzehntausend jüdische Bürger Berlins bestattet wurden, zählt zu den größten ihrer Art in Europa. Etliche Dokumentationen sind ihr bereits gewidmet worden, andere sind soeben erschienen oder noch in Vorbereitung. Einigen Aufschluß gibt die 1980 in einer Schriftenreihe des Instituts für Denkmalpflege von der Jüdischen Gemeinde zu Berlin besorgte Publikation „Jüdische Friedhöfe in Berlin".)

Dietmar Riemanns Bilder haben sich meinem Gedächtnis eingebrannt. Sie geben mir vor allem Kunde vom Unmaß seiner Erschütterung, Zerrissenheit, Betroffenheit. Sein Nachgeborensein gewährt ihm sowenig Trost und Schutz wie mir das meine. In der Schärfe seines mitunter nahezu schmerzhaften Blicks auf diesen Stein und jenes Blatt, seinem Starren auf den Schatten einer längst von Wind und Wetter demontierten Zeile kenne ich etwas wieder vom eigenen verzweifelten Bemühen, im Detail zu retten, was als Ganzes verloren ist. Keine Bildnisse, allenfalls bildgewordene, auf äußerste Genauigkeit versessene Ahnungen von der trostlosen Totalität des Verlustes.

Der „Gute" oder „Heilige Ort" euphemisiert im Jüdisch-Deutschen den Platz des erdhaften Verkommens. Christen verschönern ihn sprachlich zum Kirch- oder Friedhof, zum Gottesacker. Von daher erklärt sich der Haupttitel dieses Bandes. Die ihm ein- und untergeordneten Texte verfolgen neben ihrem Für-sich-Stehen nach meinem Willen auch ein Mit- und Widereinander. Solch Arrangement ist gewiß sehr deutsch und gewaltsam gedacht. Wenn es jedoch dem Mißverständnis zu wehren vermag, hier ließe sich ein Bild gewinnen, soll und muß es mir recht sein.

Berlin, im März 1986                                         Jürgen Rennert

# ANHANG

# ANMERKUNGEN
## ZU AUTOREN UND BEITRÄGEN

Die Überschriften der bei Ernst Bloch, Theodor Herzl, Grete Weil, Franz Kafka, Arnold Zweig, Leo Baeck und Martin Riesenburger entlehnten Zitate stammen vom Herausgeber des Text-Teils.

Für die Möglichkeit zur Präzisierung etlicher Daten und Fakten im Anmerkungsteil dankt er der 1977 wieder ins Leben gerufenen Bibliothek der Jüdischen Gemeinde zu Berlin, insonderheit ihrer Leiterin, der Oberbibliothekarin Frau Renate Kirchner.

Die bio-bibliographischen Notate zu den einzelnen Autoren halten lexikalischem Anspruch kaum stand. Sie wollen, falls nötig, in aller gebotenen Kürze erste Auskunft geben und rechnen, wo sie irren oder Schwerpunkte mangelhaft akzentuieren, auf die Nachsicht kundigerer Leser.

*Kaddisch* – Das aramäisch verfaßte Gebet ist seit talmudischer Zeit überliefert und fester Bestandteil der jüdischen Liturgie. Der vermutlich im 12. oder 13. Jahrhundert in Deutschland aufgekommene Brauch, dieses Gebet nach dem Tode naher Angehöriger sowie bei Wiederkehr ihres Todestages zu sprechen („Kaddisch sagen"), hat ihm die allgemeine Bedeutung eines Seelengebets verliehen. Die hier veröffentlichte Version des Kaddisch-Gebets ist die des „Kaddisch jatom", des „Waisenkaddisch" oder auch „Kaddisch der Leidtragenden".

*Paul Celan* – Dichter. Als Paul Antschel am 23. November 1920 in Tschernowitz geboren. Anfang Mai 1970 Freitod in Paris.
Ein Jahr Medizinstudium im französischen Tours, danach Studium der Romanistik in Tschernowitz. Während des Kriegs Zwangsarbeit und Lagerhaft in Rumänien. 1945–47 Verlagslektor und Übersetzer in Bukarest. Seit 1948 in Paris. Studium der Germanistik und Sprachwissenschaft an der Sorbonne. Vorwiegend Übersetzer- und Lehrtätigkeit. 1958 Bremer Literaturpreis, 1960 Georg-Büchner-Preis.
Werke: „Der Sand aus den Urnen" (1948), „Mohn und Gedächtnis" (1952), „Von Schwelle zu Schwelle" (1955), „Sprachgitter" (1959), „Die Niemandsrose" (1963), „Atemwende" (1967), „Fadensonnen" (1968), „Lichtzwang" (1970), „Schneepart" (1971), „Zeitgehöft. Späte Gedichte aus dem Nachlaß" (1976).

*Pirkej Awot* – Der den Äußerungen der Väter (Awot) gewidmete Abschnitt (Perek) ist der neunte Traktat innerhalb der „N'sikin" („Beschädigungen") überschriebenen vierten von insgesamt sechs Ordnungen, in die sich die Mischna (die im Talmud schriftlich fixierte „Mündliche Lehre") unterteilt.

*Rose Ausländer* – Dichterin. Am 11. Mai 1907 in Tschernowitz geboren.
Studium der Literaturwissenschaft und Philosophie. 1941–44 Überleben im Kellerversteck. Freundschaft mit Paul Celan. 1946 Auswanderung in die USA. Sekretärin, Korrespondentin und Übersetzerin. 1964 Rückkehr nach Europa. 1965 Übersiedlung nach Düsseldorf, wo sie, seit Jahren durch Krankheit ans Bett gefesselt, bis heute in einem Heim der Jüdischen Gemeinde lebt.
Werke: „Regenbogen" (1939), „Blinder Sommer" (1965), „36 Gerechte" (1967), „Inventur" (1972), „Andere Zeichen" (1974), „Ohne Visum" (1974), „Doppelspiel" (1977), „Mutterland" (1978), „Einverständnis" (1980).

*Moses Mendelssohn* – Philosoph, Schriftsteller, Übersetzer. Am 6. September 1729 in Dessau geboren. Gestorben am 4. Januar 1786 in Berlin.
Der Aufklärung und ihren hellsten Vertretern befreundet, Wegbereiter der jüdischen Emanzipation und zugleich der jüdischen Reformbewegung.
Hauptwerke: „Phädon" (1767), „Jerusalem oder Über religiöse Macht und Judentum" (1783), „Morgenstunden" (1785), ferner deutsche Bibelübersetzung, gedruckt in hebräischen Lettern (1780ff.).

*Joseph Herzfelder* – Rechtsanwalt, Dichter, Goethe-Forscher. Am 31. Mai 1836 in Obernbreit bei Kitzingen geboren. Gestorben am 11. November 1904 in Augsburg. Neben seiner juristischen Tätigkeit literarisch hervorgetreten mit einem Band seiner bei Cotta verlegten Gedichte und der Studie „Goethe in Italien".

*Ernst Bloch* – Philosoph, Schriftsteller, Universitätslehrer. Am 8. Juli 1885 in Ludwigshafen geboren. Gestorben am 4. August 1977 in Tübingen.

1905 Abitur, 1908 Promotion. Seit 1918 Beginn reger Publikationstätigkeit. In den zwanziger Jahren ausgedehnte Reisen und freundschaftliche Kontakte zu Kracauer, Adorno, Benjamin, Brecht, Weill, Otto Klemperer. 1933 Emigration. Zürich, Wien, Paris, Prag. 1938–49 USA. 1949 Übersiedlung nach Leipzig, zur Übernahme des Lehrstuhls für Philosophie. Seit 1961 Lehramt an der Universität Tübingen.
Hauptwerke: „Geist der Utopie" (1918), „Spuren" (1930), „Subjekt-Objekt" (1949), „Das Prinzip Hoffnung" (1954 bis 1959).

*Heinrich Heine* – Dichter und Publizist. Am 13. Dezember 1797 in Düsseldorf geboren. Gestorben am 17. Februar 1856 in Paris. 1825 Taufe, 1831 Übersiedlung nach Paris, nach 1848 bewußte Rückwendung zum Judentum.
Hauptwerke: „Buch der Lieder" (1827), „Französische Zustände" (1833), „Die romantische Schule" (1836), „Ludwig Börne. Eine Denkschrift" (1840), „Atta Troll" (1843), „Deutschland. Ein Wintermärchen" (1844), „Neue Gedichte" (1844), „Romanzero" (1851), „Lutezia" (1854).

*Ludwig August Frankl* – Mediziner, Dichter, Publizist. Am 3. Februar 1810 im böhmischen Chrast geboren. Gestorben am 12. März 1894 in Wien.
Bereits mit 28 Jahren Generalsekretär der Wiener Jüdischen Gemeinde. 1873 Ernennung zum k. u. k. Schulrat. Im gleichen Jahr Präses der Israelitischen Kultusgemeinde. 1876 als „Ritter von Hochwart" in den Adelsstand erhoben, auf Grund seiner Verdienste um das von ihm ins Leben gerufene Kinder-Blindeninstitut auf der Hohen Warte bei Wien. – Sein Gedicht „Die Universität", 1848 entstanden, erregte als erste zensurfreie Publikation beispielloses Aufsehen, es wurde in mehr als einer Million Exemplaren verbreitet.
Werke: „Sagen aus dem Morgenland" (1834), „Der Primator" (1861), „Ahnenbilder" (1864), „Nach Jerusalem" (1858), „Aus Ägypten" (1860), „Epische Gesänge" (1876), „Lyrische Gedichte" (1880) u. v. a.

*Theodor Herzl* – Schriftsteller, Journalist. Am 2. Mai 1860 in Budapest geboren. Freitod am 3. Juli 1904 in Edlach / Niederösterreich. 1891–95 Pariser Berichterstatter der „Neuen Freien Presse". Unter dem unmittelbaren Eindruck des ersten Dreyfus-Prozesses verfaßt er die schmale Schrift „Der Judenstaat. Versuch einer modernen Lösung der Judenfrage", die Anstoß zur Entstehung des politischen Zionismus gibt. Sein letztes Lebensjahrzehnt ist ausgefüllt mit unzähligen Reisen und Besuchen bei Oberhäuptern, die er um Unterstützung seiner Ideen bittet. Er trifft auf Großherzog Friedrich von Baden, Kaiser Wilhelm II., den König von Italien, den Papst, Sultan Abdul Hamid, den zaristischen Minister Plehwe... Als Joseph Chamberlain der zionistischen Bewegung Uganda zur Verwirklichung eines Judenstaates anbietet, ist Herzl bereit, den britischen Vorschlag anzunehmen. Doch auf dem 6. Zionisten-Kongreß kommt es zur Ablehnung des Uganda-Projekts, und Herzl verzweifelt und zerbricht.
Werke: „Zionistische Schriften" (5 Bände), „Altneuland" (1904).

*Grete Weil* – Schriftstellerin. Am 18. Juli 1906 in Rottach-Egern geboren.
1935 Emigration nach Holland, wo es ihr nach dem Einmarsch der Deutschen glückt, sich bis zum Kriegsende zu verbergen. 1941 wird ihr Mann im KZ Mauthausen ermordet. 1947 Rückkehr nach Deutschland. Grete Weil lebt und arbeitet in Frankfurt am Main.
Hauptwerke: „Ans Ende der Welt" (1947), „Tramhalte Beethovenstraat" (1963), „Happy – sagte der Onkel" (1968), „Meine Schwester Antigone" (1980), „Generationen" (1983).

*Else Lasker-Schüler* – Dichterin. Am 11. Februar 1869 in Elberfeld geboren. Gestorben am 22. Januar 1945 in Jerusalem. Zentrale Gestalt der bewegten expressionistischen Dichtung. 1932 Kleist-Preis. 1933 Emigration. Zuerst Zürich, dann Jerusalem.
Hauptwerke: „Die Wupper" (1909), „Hebräische Balladen" (1913), „Arthur Anonymus und seine Väter" (1932), „Mein blaues Klavier" (1943).

*Franz Kafka* – Schriftsteller, Jurist. Am 3. Juli 1883 in Prag geboren. Gestorben am 3. Juni 1924 in Kierling.
1906 Promotion zum Dr. jur. Von 1908 bis zu seiner Pensionierung aus gesundheitlichen Gründen im Juli 1922 Angestellter der „Arbeiter-Unfall-Versicherungs-Anstalt".
Hauptwerke: „Betrachtung" (1913), „Die Verwandlung" (1915), „Das Urteil" (1916), „In der Strafkolonie" (1919), „Ein Landarzt" (1919), „Ein Hungerkünstler" (1924), „Der Prozeß" (1925), „Das Schloß" (1926), „Amerika" (1927), „Beim Bau der Chinesischen Mauer" (1931), „Vor dem Gesetz" (1934).

*Morris Rosenfeld* – Jiddischer Dichter. Am 25. Dezember 1863 in Bokscha geboren. Gestorben 1923 in New York.
Aufgewachsen in Warschau. 1880 Heirat und Auswanderung. Diamantenschleifer in Holland, Fabrikarbeiter in England und den USA. Schließlich journalistische Arbeit für jiddische Blätter in Amerika.
Hauptwerk: die unter dem englischen Titel „Songs from the Ghetto" 1898 in Cambridge erschienene Sammlung jiddischer Lieder.

*Berthold Feiwel* – Schriftsteller, Übersetzer, Verleger, Politiker. Am 11. September 1875 in Pohrlitz (Mähren) geboren. Gestorben am 29. Dezember 1937 in Jerusalem.

Freund und Mitarbeiter Herzls, gründet 1902 zusammen mit Martin Buber, Ephraim Moses Lilien und Davis Trietsch den „Jüdischen Verlag", der in den zwanziger Jahren unter der literarischen Leitung Martin Bubers zum größten jüdischen Verlag in Deutschland wurde. 1929 geht Feiwel nach London, 1933 nach Jerusalem, wo er bis zu seinem Tode für die Staatwerdung Israels arbeitet.

*Arnold Zweig* – Dichter, Romancier, Dramatiker, Essayist. Am 10. November 1887 in Glogau geboren. Gestorben am 26. November 1968 in Berlin.
1906 erste literarische Versuche. 1907–15 Studium der Germanistik, Anglistik, Romanistik, Geschichte, Philosophie, Kunstgeschichte und Nationalökonomie. 1915 Kleist-Preis für das Drama „Ritualmord in Ungarn". Im selben Jahr Einberufung. Armierungssoldat in Belgien, Südungarn, Serbien, Frankreich, Polen und Litauen. 1919 Übersiedlung von Berlin nach Starnberg, von wo er 1923 durch nazistische Terroristen vertrieben wird. 1923 Redakteur der „Jüdischen Rundschau". 1933 Emigration. Tschechoslowakei, Schweiz, Frankreich, Palästina. 1948 Rückkehr nach Berlin. 1950–53 Präsident der Deutschen Akademie der Künste (ab 1953 Ehrenpräsident). Präsident des P. E. N.-Zentrums der DDR. Zahlreiche Preise und Ehrungen. 1962 Verleihung des Professorentitels.
Hauptwerke: „Novellen um Claudia" (1912), „Der Streit um den Sergeanten Grischa" (1927), „Junge Frau von 1914" (1931), „Erziehung vor Verdun" (1935), „Einsetzung eines Königs" (1937), „Die Zeit ist reif" (1957), „Traum ist teuer" (1962).

*Nelly Sachs* – Dichterin. Am 10. Dezember 1891 in Berlin geboren. Gestorben am 12. Mai 1970 in Stockholm.
1921 Veröffentlichung ihres ersten, Selma Lagerlöf gewidmeten Buches „Legenden und Erzählungen". 1933 äußerste Zurückgezogenheit. Durch Selma Lagerlöfs Mithilfe können Nelly Sachs und ihre Mutter 1940 aus Deutschland ausreisen. Alle zurückbleibende Verwandtschaft wird deportiert und ermordet. Nach Zeiten schwerer Depressionen und des Verstummens beginnt sie in Schweden schwedische Dichter ins Deutsche zu übertragen und jene Gedichte niederzuschreiben, die sie „mitten im schrecklichen Geschehen im Kopf herumgetragen" hatte. 1947 erscheint ihr Gedichtband „In den Wohnungen des Todes", 1949 folgt die Sammlung „Sternverdunkelung". Seit Ende der fünfziger Jahre erfährt sie zahlreiche Ehrungen. 1966 wird ihr für ihr dichterisches Gesamtwerk der Nobelpreis zuerkannt.
Weitere Werke: „Und niemand weiß weiter" (1957), „Flucht und Verwandlung" (1959), „Fahrt ins Staublose" (1961), „Noch feiert Tod das Leben" (1961), „Glühende Rätsel" (1964), „Teile dich, Nacht" (1971), „Suche nach Lebenden" (1971). Ferner diverse szenische Dichtungen, Libretti und Übersetzungen.

*Martin Buber* – Religionslehrer, Philosoph, Verleger, Übersetzer. Am 8. Februar 1878 in Wien geboren. Gestorben am 13. Juni 1965 in Jerusalem.
Bubers Frühwerk gipfelt in der sorgsamen und liebevollen Vermittlung des ihm durch seinen Großvater erschlossenen chassidischen Erzähl- und Legendenguts. Seine erfolgreichen editorischen Bemühungen reichen von der Herausgabe der Monatsschrift „Der Jude" bis zur literarischen Leitung des von ihm einst mitbegründeten „Jüdischen Verlages". Seit 1924 Universitätsdozent, wird er 1930 als Professor für jüdische Religionswissenschaft und Ethik an die Universität Frankfurt / Main verpflichtet. 1933 entlassen, übernimmt er die Leitung der Mittelstelle für Erwachsenenbildung. 1938 Emigration nach Jerusalem. Bis 1952 lehrt er an der dortigen Universität Sozialphilosophie. Sein besonderes Engagement und Augenmerk gelten bis zuletzt der Versöhnung zwischen Konfessionen und Nationalitäten.
Hauptwerke: „Die Legende des Baalschem" (1908), „Die Lehre vom Tao" (1910), „Ich und Du" (1923), „Königtum Gottes" (1932), „Das Problem des Menschen" (1943), „Die Erzählungen der Chassidim" (1949), „Die Schrift" (1953–1962) – vierbändige Bibelübersetzung in teilweiser Zusammenarbeit mit dem 1929 frühverstorbenen Franz Rosenzweig, „Der Gesalbte" (1964).

*Leo Baeck* – Rabbiner, Universitätslehrer. Am 23. Mai 1873 in Lissa / Posen geboren. Gestorben am 2. November 1956 in London.
1895 Promotion zum Dr. phil., 1897 Rabbiner in Oppeln, 1907 Rabbiner in Düsseldorf. 1912 Dozent an der Berliner Hochschule für die Wissenschaft des Judentums, die er später bis zu ihrem gewaltsamen Ende leitet. 1933 wählt ihn die Reichsvertretung deutscher Juden zu ihrem Präsidenten. 1943 Deportation in das KZ Theresienstadt. Nummer 187 894. Nach der Befreiung Übersiedlung nach London.
Hauptwerke: „Wesen des Judentums" (1905), „Pharisäer" (1937), „The faith of Paul" (1952) „Geschichte der Juden" (1954–59), „Aus drei Jahrtausenden. Wissenschaftliche Untersuchungen und Abhandlungen zur Geschichte des jüdischen Glaubens" (1958).

*Gertrud Kolmar* – Dichterin. Als Gertrud Käthe Chodziesner am 10. Dezember 1894 in Berlin geboren. Im Februar 1943 im Rahmen der sogenannten „Fabrik-Aktion" nach Auschwitz verschleppt. Das Datum ihres Todes ist unbekannt.
Nach einem abgeschlossenen Sprachlehrerinnen-Studium Arbeit als Dolmetscherin. Schließlich aus innerer Neigung Erzieherin taubstummer Kinder. Seit 1941 Zwangsarbeit in Berliner Fabriken. Ein Jahr vor ihrer eigenen Deportation wird der verwitwete Vater, mit dem sie zusammenlebt, einundachtzigjährig ins Konzentrationslager gebracht.

Werke: „Gedichte" (1917), „Preußische Wappen" (1934), „Die Frau und die Tiere" (1938), „Das lyrische Werk" (1955), „Eine Mutter" (1965), „Das Wort der Stummen" (1978).

*Martin Riesenburger* – Rabbiner. Am 14. Mai 1896 in Berlin geboren. Gestorben am 14. April 1965 in Berlin.
Durch den ersten Weltkrieg abgebrochenes Studium der Zahnmedizin. Nach Kriegsende Hinwendung zur Musik, Tätigkeit als Kantor und Religionslehrer. Studium an der Hochschule für die Wissenschaft des Judentums. In offiziellen Diensten der Berliner Jüdischen Gemeinde seit Juni 1933. Seelsorger des Jüdischen Altenheims in der Großen Hamburger Straße. Nach dessen Liquidierung wird der Jüdische Friedhof in Berlin-Weißensee sowohl Wirkungs- als auch Zufluchtstätte.
Seit 1953 einziger Rabbiner in der DDR. Wesentlich beteiligt am Aufbau der durch die Teilung der Berliner Jüdischen Gemeinde notwendig gewordenen eigenständigen Gemeinde. Im Herbst 1953 erfolgt durch ihn die Wiedereinweihung der renovierten Synagoge in der Rykestraße als „Friedenstempel". 1961 Berufung ins Amt des Landesrabbiners durch den Verband der Jüdischen Gemeinden in der DDR. Im selben Jahr Verleihung der Ehrendoktorwürde durch die Juristische Fakultät der Humboldt-Universität Berlin.
Buchveröffentlichungen: „Also spricht dein Bruder" (1958), „Das Licht verlöschte nicht" (1960).

*Hannah Arendt* – Politologin, Philosophin. Am 14. Oktober 1906 in Hannover geboren. Gestorben am 4. Dezember 1975 in New York.
Philosophiestudium bei Edmund Husserl. 1933 Emigration nach Frankreich. Seit 1940 in den USA. 1959 Professur in Princeton. Lessing-Preis der Stadt Hamburg.
Hauptwerke: „Der Liebesbegriff bei Augustin" (1929), „Rahel Varnhagen" (1959), „Vita activa oder Vom tätigen Leben" (1960), „Eichmann in Jerusalem" (1963), „Vom Leben des Geistes" (1980).

*Jiskor* – Das Jiskor-Gebet ist wie das Kaddisch-Gebet liturgisch verankert. Es wird im Rahmen der synagogalen Seelenfeier (Haskarat neschamot) zum Gedächtnis der Vertorbenen und der Märtyrer am Versöhnungstag sowie am Schlußtag der drei Wallfahrtsfeste (Pessach, Wochen- und Laubhüttenfest) gesprochen.

# URHEBERRECHTS- UND QUELLENNACHWEIS

Verlag und Herausgeber danken allen Verlagen für die freundliche Erlaubnis zum Abdruck der in diesem Band enthaltenen Beiträge.

*Hannah Arendt*
Die Unwiderruflichkeit des Getanen
und die Macht zu verzeihen
aus: Hannah Arendt
„Vita activa oder Vom tätigen Leben"
Verlag W. Kohlhammer GmbH, Stuttgart 1960

*Rose Ausländer*
Teilhaben / Noch bist du da /
Ich denke / Tränen / Respekt
aus: Rose Ausländer
„Gesammelte Werke in sieben Bänden"
S. Fischer Verlag, Frankfurt am Main 1986

*Leo Baeck*
Frömmigkeit in der Paradoxie
aus: Leo Baeck „Wege im Judentum"
Schocken Books Inc., New York

*Ernst Bloch*
Ein erstes Morgenrot
aus: Ernst Bloch „Das Prinzip Hoffnung"
Suhrkamp Verlag, Frankfurt am Main 1959
(Aufbau-Verlag, Berlin / Weimar 1960)

*Martin Buber*
Schiflut: Von der Demut
aus: Martin Buber „Die Legende des Baalschem"
Umgearbeitete Neuausgabe
Manesse Verlag GmbH, Zürich 1955

*Paul Celan*
Psalm / Die Schleuse
aus: Paul Celan „Die Niemandsrose"
S. Fischer Verlag, Frankfurt am Main 1963
(Verlag Volk und Welt, Berlin 1983)

*Berthold Feiwel*
Lieder des Ghetto
aus: „Lieder des Ghetto von Morris Rosenfeld"
Autorisierte Übertragung aus dem Jüdischen
von Berthold Feiwel. Mit Zeichnungen von E. M. Lilien
Dritte Auflage
Hermann Seemann Nachfolger, Berlin 1906

*Ludwig August Frankl*
In der Lauberhütte
aus: Ludwig August Frankl „Ahnenbilder"
Oskar Leiner, Leipzig 1864

*Heinrich Heine*
Gedanken und Einfälle
aus: „Letzte Gedichte und Gedanken von Heinrich Heine.
Aus dem Nachlasse des Dichters"
Dritte Auflage
Hoffmann und Campe, Hamburg 1869

*Joseph Herzfelder*
Ein deutscher Jude
aus: Alfred Moos „Eine ambivalente Existenz", Beitrag zu
der von Henryk M. Broder und Michel R. Lang herausgegebenen Sammlung „Fremd im eigenen Land. Juden in der
Bundesrepublik"
Fischer Taschenbuch Verlag, Frankfurt am Main 1979

*Theodor Herzl*
Ohne Haß und Furcht
aus: „Der Judenstaat. Versuch einer modernen Lösung der
Judenfrage von Theodor Herzl, Doctor der Rechte"
Erste Auflage
M. Breitensteins Verlagsbuchhandlungen,
Leipzig / Wien 1896

*Franz Kafka*
Das Wort „sein"
aus: Franz Kafka „Beim Bau der Chinesischen Mauer"
Fünfte Auflage
Gustav Kiepenheuer Verlag, Leipzig / Weimar 1982

Gertrud Kolmar
Anno Domini 1933
aus: Gertrud Kolmar „Das lyrische Werk"
Kösel-Verlag, München 1960
(Gertrud Kolmar, „Das Wort der Stummen",
Buchverlag Der Morgen, Berlin 1978)

Else Lasker-Schüler
Der Tod der Eltern
aus: Else Lasker-Schüler „Dichtungen und Dokumente"
Herausgegeben von E. Ginsberg
Kösel-Verlag, München 1951
(Else Lasker-Schüler, „Gedichte und Prosa. Eine Auswahl",
Gustav Kiepenheuer Verlag, Leipzig / Weimar 1967)

Moses Mendelssohn
Unsterblichkeit der Seele
aus: Moses Mendelssohn „Phädon"
Berlin 1767

Martin Riesenburger
Ich habe mir damals alles genau notiert
aus: Martin Riesenburger „Das Licht verlöschte nicht"
Zweite, erweiterte Auflage
Union Verlag, Berlin 1984

Morris Rosenfeld
Laubhüttenfest vorbei / Die Friedhofsnachtigall
aus: „Lieder des Ghetto von Morris Rosenfeld"
Autorisierte Übertragung aus dem Jüdischen
von Berthold Feiwel. Mit Zeichnungen von E. M. Lilien
Dritte Auflage
Hermann Seemann Nachfolger, Berlin 1906

Nelly Sachs
Immer ist die leere Zeit
aus: Nelly Sachs „Späte Gedichte" („Glühende Rätsel")
Suhrkamp Verlag, Frankfurt am Main 1965
An euch, die das neue Haus bauen
aus: Nelly Sachs, „Ausgewählte Gedichte"
Suhrkamp Verlag, Frankfurt am Main 1963
(Nelly Sachs, „Landschaft aus Schreien. Ausgewählte Ge-
dichte", Aufbau-Verlag, Berlin / Weimar 1966)

Grete Weil
Da gab es einen Großvater
aus: Grete Weil „Generationen"
Benziger Verlag, Zürich / Köln 1983
(Verlag Volk und Welt, Berlin 1985)

Arnold Zweig
Der Vergangenheit würdig
aus: Arnold Zweig „Die Internationalität des Judentums",
in: „Der Jude. Eine Monatsschrift". Herausgegeben von
Martin Buber, IV. Jahrgang, Heft 3, Juni 1919
Verlag R. Löwit, Berlin / Wien
(Rechte beim Aufbau-Verlag, Berlin / Weimar)

Der 90. Psalm
aus: „Die Psalmen"
Übersetzt von Moses Mendelssohn
Friedrich Maurer, Berlin 1783

Aus den „Pirkej Awot"
aus: „Der Babylonische Talmud"
Übertragen und erläutert von Jakob Fromer
Brandus'sche Verlagsbuchhandlung, Berlin 1924

# INHALT

ISBN 3-374-00126-2

© Evangelische Verlagsanstalt GmbH Berlin 1987
1. Auflage
Lizenz 420.205-98-87. LSV 6400. H 5842
Gesamtgestaltung: Johanna Mönch
Printed in the German Democratic Republic
Satz: Union Druckerei (VOB) Berlin
Druck: H. F. Jütte (VOB), Leipzig
01800